CW00741211

NOUVELLES PUBLICATIONS CHEZ J. B BAILLIÈRE & FILS.

Traité d'hétérogénie ou des générations spontanées, basé sur l'expérimentation, par F. A. Pouchet, professeur de zoologie au Muséum d'histoire naturelle de Rouen. Paris, 1859, 1 vol. in-8 avec planches gravées.

Traité des maladies inflammatoires du cerveau, ou histoire anatomo-pathologique des congestions encéphaliques, du délire aigu, de la paralysie générale ou péri-encéphalite chronique diffuse à l'état simple ou compliqué, du Ramollissement cerébral local aigu et chronique, de l'Hémorrhagie cérébrale localisée, récente ou non récente, par le docteur L. F. Calmeil, médecin en chef de la maison impériale de Charenton. Paris, 1859, 2 forts vol. in-8....

De l'espèce et des races dans les êtres organisés, et spécialement de l'unité de l'espèce humaine, par D. A. Godron, docteur en médecine et docteur ès sciences, professeur à la Faculté des sciences de Nancy, etc. Paris, 1859, 2 vol. in-8....

Traité des entozoaires et des maladies vermineuses de l'homme et des animaux domestiques, par le docteur C. Davaine, membre de la Société de biologie, lauréat de l'Institut. Paris, 1859, 1 fort vol in-8, avec figures intercalées dans le texte....

Traité clinique et thérapeutique de l'hystérie, par le docteur P. Briquet, médecin à l'hôpital de la Charité, agrégé honoraire à la Faculté de médecine de Paris, 1859, 1 vol. in-8....

Éléments de zoologie médicale, comprenant la description détaillée des animaux utiles en médecine, et des espèces nuisibles à l'homme, particulièrement des venimeuses et des parasites, précédés de considérations générales sur l'organisation et la classification des animaux et d'un résumé sur l'histoire naturelle de l'homme, etc., par Moquin-Tandon, professeur d'histoire naturelle médicale à la Faculté de médecine de Paris, membre de l'Institut. Paris, 1859, 1 volume in-18 avec 100 figures intercalées dans le texte....

Recherches sur les causes de la colique sèche observée sur les navires de guerre français, particulièrement dans les régions équatoriales, et sur les moyens d'en prévenir le développement, par M. A. Lefèvre, directeur du service de santé de la marine au port de Brest. Paris, 1859, in-8 de 312 pages.... 4 fr. 50.

Nouveaux éléments de pathologie générale et de séméiologie, par le docteur E. Bouchut, médecin de l'hôpital Sainte-Eugénie, professeur agrégé de la Faculté de médecine de Paris. Paris, 1857, un beau volume grand in-8 de 1064 pages, avec figures intercalées dans le texte. 11 fr.

Éloges lus dans les séances publiques de l'Académie royale de chirurgie de 1750 à 1792, par A. Louis, recueillis et publiés pour la première fois, au nom de l'Académie impériale de médecine, et d'après les manuscrits originaux, avec une introduction, des notes et des éclaircissements, par E. Fréd. Dubois (d'Amiens), secrétaire perpétuel de l'Académie impériale de médecine. 1 beau vol. in-8 de 548 pages. 7 fr. 50.

Cet ouvrage contient : Introduction historique, par M. Dubois, 76 pages; Éloges de J. L. Petit, Bassuel, Malaval, Verdier, Rœderer, Molinelli, Bertrandi, Foubert, Lecat, Ledran, Pibrac, Benomont, Morand, Van Swieten, Quesnay, Haller, Flurant, Willius, Houstet, de la Faye, Bordenave, David, Faure, Caqué, Faguer, Camper, Hévin, Pipelet, et l'éloge de Louis, par P. Sue.

Embrassant tout un demi-siècle, et renfermant, outre les détails historiques et biographiques, des appréciations et des jugements sur les faits, cette collection forme une véritable histoire de la chirurgie française au XVIIIe siècle.

ÉTUDE MÉDICO-LÉGALE

SUR

LES ATTENTATS AUX MŒURS

OUVRAGES DE M. TARDIEU CHEZ LES MÊMES LIBRAIRES.

Dictionnaire d'hygiène et de salubrité, ou Répertoire de toutes les Questions relatives à la santé publique, considérées dans leurs rapports avec les Subsistances, les Épidémies, les Professions, les Établissements et Institutions d'hygiène et de salubrité, complété par le texte des Lois, Décrets, Arrêtés, Ordonnances et Instructions qui s'y rattachent, etc. Paris, 1852-1854. 3 forts volumes grand in-8. 24 fr.
Ouvrage récompensé par l'Institut de France.

Étude hygiénique sur la profession de mouleur en cuivre, pour servir à l'histoire des professions exposées aux poussières inorganiques. Paris, 1855, in-12. 1 fr. 25

Étude médico-légale sur l'avortement. (*Annales d'hygiène et de médecine légale*, 1855 et 1856. T. III, pag. 394, et t. V, pag. 113 et suiv.)

Étude médico-légale sur la strangulation. Paris, 1859, in-8.

Observations et Recherches nouvelles pour servir à l'histoire médico-légale des grossesses fausses et simulées (*Ann. d'hyg. publique et de médecine légale.* 1845-1846, tome XXXIV et XXXV).

Étude hygiénique et médico-légale sur la fabrication et l'emploi des allumettes chimiques. 1856. 1 fr. 25

Voieries et Cimetières, Thèse présentée au concours pour la chaire d'hygiène. 1852, in-8. 3 fr. 50

Mémoire sur la mort par suffocation, 1855, in-8.

Du tatouage considéré comme signe d'identité (*Ann. d'hygiène publique et de médecine légale*, 2e série, tome III, 1855, pages 171 et suiv.).

Mémoire sur l'empoisonnement par la strychnine contenant la relation médico-légale complète de l'affaire Palmer (*Ann. d'hyg. et de médec. légale*, 2e série, 1856, tome VI, pages 371 et suiv.).

Relation médico-légale de l'assassinat de la comtesse de Goerlitz accompagnée de notes et réflexions pour servir à l'histoire de la combustion humaine spontanée. Paris, 1850, in-8.

Mémoire sur les modifications que détermine dans certaines parties du corps l'exercice des diverses professions pour servir à l'histoire médico-légale de l'identité. Paris, 1849, in-8.

Mémoire sur l'examen microscopique des taches formées par le méconium et l'enduit fœtal pour servir à l'histoire médico-légale de l'infanticide. Paris, 1857, in-8.

Sous presse.

Dictionnaire de médecine légale, de jurisprudence et de police médicale. Paris, 1860, 2 vol. grand in-8.

CORBEIL, TYPOGRAPHIE DE CRÉTÉ.

ÉTUDE MÉDICO-LÉGALE

SUR LES

ATTENTATS AUX MŒURS

PAR

Ambroise TARDIEU

Professeur agrégé de médecine légale à la Faculté de Paris,
Médecin de l'hôpital Lariboisière,
Membre du comité consultatif d'hygiène publique.

Troisième édition

ACCOMPAGNÉE DE TROIS PLANCHES GRAVÉES.

PARIS

J. B. BAILLIÈRE ET FILS,

LIBRAIRES DE L'ACADÉMIE IMPÉRIALE DE MEDECINE,

rue Hautefeuille, 19.

LONDRES
HIPPOLYTE BAILLIÈRE, 219, REGENT-STREET.

NEW-YORK
HIPP. ET CH. BAILLIÈRE FRÈRES, 440, BROADWAY.

MADRID, C. BAILLY-BAILLIÈRE, CALLE DEL PRINCIPE, 11.

1859

AVERTISSEMENT.

En publiant une troisième édition de cette étude sur les attentats aux mœurs et quel qu'ait été mon désir de la rendre plus digne du succès inespéré qu'elle a obtenu, je n'ai rien trouvé d'essentiel à modifier ni même à ajouter au fond des choses. Plus de cent cas nouveaux de viols et d'attentats à la pudeur observés par moi depuis la dernière réimpression, n'ont fait que confirmer mes premières observations et m'affermir dans les déductions pratiques que j'avais cru pouvoir en tirer.

Mais en même temps que ces faits dont le nombre s'accroît chaque jour sont venus donner à mes recherches une base plus étendue et partant plus solide, je me suis efforcé de mettre chacun d'eux à profit pour communiquer à cette étude plus de précision dans les détails, plus d'autorité dans les appréciations médico-légales.

J'y ai joint dans la même intention, grâce au concours intelligent et dévoué de mes habiles éditeurs, trois planches dans lesquelles sont figurés avec l'exactitude et le talent dont sont garants les noms des artistes qui les ont exécutées, d'une part, certaines particularités anatomiques que la description seule ne pouvait faire comprendre et dont l'intelligence est indispensable à l'étude de la défloration ; et, d'une autre part, les caractères microscopiques qu'avec son expérience consommée mon savant collègue, M. le docteur C. Robin, a assignés aux taches de nature diverse qui peuvent être soumises à l'examen de l'expert dans les cas d'attentats aux mœurs.

Cette nouvelle édition paraîtra ainsi, je l'espère, à ceux qui ont accueilli les précédentes avec tant d'indulgence, avoir gagné quelque chose en intérêt et en utilité.

JUIN 1859

ÉTUDE MÉDICO-LÉGALE

SUR

LES ATTENTATS AUX MŒURS

Les faits qui forment le sujet de cette étude peuvent être divisés en trois groupes distincts, comprenant 1° les outrages publics à la pudeur, 2° le viol et les attentats à la pudeur, 3° la pédérastie et la sodomie.

A chacun de ces groupes se rattachent tant de détails d'observation peu connus, tant de questions médico-légales imprévues, tant de difficultés pratiques non résolues, qu'il m'a paru utile d'en reprendre l'examen en ne négligeant aucun de leurs aspects, en les considérant, non plus dans la confusion de l'ensemble, mais dans les plus minutieuses particularités qu'elles présentent et avec l'intention formelle de reproduire, aussi fidèlement que possible, dans toute leur vérité, dans toute leur rigoureuse exactitude; les observations nombreuses qu'il m'a été donné de recueillir dans des expertises judiciaires, qui dépassent aujourd'hui le chiffre de six cents pour les trois ordres de faits que je passerai successivement en revue sous le titre commun d'attentats aux mœurs.

Il ne faut pas chercher, dans cette étude, des citations et des développements empruntés aux auteurs qui l'ont tentée avant moi. La médecine légale comporte peu les recherches d'érudition, d'abord parce que le passé a fort peu de chose à lui donner, et ensuite parce que les théories et les dissertations doctrinales ont trop souvent pris, dans cette partie de la médecine, la place qui doit appartenir exclusivement à l'observation pratique et à l'analyse raisonnée des faits. Le savant docteur Casper, de Berlin, dans une étude sur le viol et la pédérastie, entreprise au même point de vue que celle-ci (1), fait remarquer avec beaucoup de sens et de vérité que les auteurs ont reproduit, les uns après les autres, des erreurs mises une première fois en circulation par le vieux Zacchias, et que cette manière de faire est la conséquence de leur défaut d'expérience personnelle et d'esprit d'observation. Je partage complétement cette opinion, et je n'aurais pas écrit après tant d'autres si je n'avais cru pouvoir échapper à ce reproche mérité, en apportant à l'appui de mes paroles une masse de faits très-supérieurs en nombre à ceux qu'ont pu invoquer les auteurs, et notamment Casper, qui analyse dans son Mémoire seulement 60 observations de viol et 11 de pédérastie.

Je mentionnerai cependant encore comme très-remarquable, par le caractère essentiellement pratique et la sagacité qui le distinguent, le *Mémoire sur les attentats à la pudeur et le viol* de M. le professeur Toulmouche, de Rennes, inséré il y a un an dans les *Annales d'hygiène publique et de médecine légale* (2), fruit d'une longue expérience, auquel il ne manque que des développements plus étendus.

La nature du sujet exige des détails faits pour soulever tous les sentiments d'honnêteté et de pudeur, mais devant lesquels je n'ai pas cru devoir reculer. Aucune misère physique ou morale, aucune plaie, quelque corrompue qu'elle soit,

(1) *Ein Vierteljahrsschrift für gerichtliche und offentliche Medicin*, 1 Band, 1 Heft, p. 21. Berlin, 1852.

(2) *Ann. d'hyg. et de méd. lég.*, 2e série, t. VI, p. 100. Juillet, 1856.

ne doit effrayer celui qui s'est voué à la science de l'homme, et le ministère sacré du médecin, en l'obligeant à tout voir, à tout connaître, lui permet aussi de tout dire. Je n'ai pas même cru devoir recourir aux voiles de la langue antique, qui ne se croyait elle-même en droit de braver l'honnêteté que quand elle parlait au nom de la science ; et, suivant l'exemple du plus élégant, du plus pur des médecins latins, j'invoquerai en tête de cette étude ces paroles de Celse (1) : « Quæ ad partes obscœnas pertinent apud Græcos vocabula « et tolerabiliùs sese habent et accepta jam usu sunt, cum « in omni ferè medicorum volumine atque sermone jacten- « tur ; apud nos fœdiora verba, ne consuetudine quidem ali- « quâ verecundiùs loquentium commendata sunt : ut diffi- « cilis hæc explanatio sit simul et pudorem et artis præcepta « servantibus. Neque tamen ea res a scribendo deterrere me « debuit... »

PREMIÈRE PARTIE

OUTRAGES PUBLICS A LA PUDEUR.

Ce premier groupe, bien qu'offrant une importance très-secondaire, ne doit pas moins trouver place dans cette étude ; et je n'imiterai pas le silence absolu des auteurs, qui tous ont négligé, dans les traités de médecine légale, les faits que le loi désigne sous le nom d'outrages publics à la pudeur dont tout le monde connaît la signification.

(1) *Medicina*, lib. VI, c. XVIII.

M. Devergie, dans son Traité classique (1), se contente de cette courte mention, qui explique sans le justifier le silence qu'il garde sur ce sujet. « Il est rare que dans le cas de « l'art. 330 (qui qualifie et punit le délit d'outrage public à la « pudeur) des médecins soient consultés, car les actes se sont « nécessairement passés en présence de témoins, et les « preuves ressortent des témoignages mêmes. »

Ces cas sont rares sans doute. Mais comme le concours du médecin peut être invoqué par la justice pour en éclairer certaines circonstances, il est bon de faire connaître les conditions dans lesquelles peuvent se présenter de semblables expertises, et à quel genre de questions elles peuvent donner naissance.

Ce n'est pas pour fournir la preuve du fait ou pour en confirmer le caractère que le médecin légiste sera consulté; c'est pour apprécier les motifs qui peuvent expliquer l'acte impudique et les excuses qui pourraient le justifier. Ces motifs et ces excuses, il y a quelquefois lieu de les chercher dans l'état physique ou mental de l'inculpé ; et c'est à cet examen que l'expert aura à procéder. Je vais faire connaître dans quelles circonstances j'ai eu moi-même à y procéder plusieurs fois.

Les individus poursuivis pour outrage à la pudeur appartiennent, sinon toujours, du moins dans l'immense majorité des cas, au sexe masculin. On comprend combien de raisons matérielles et morales peuvent arrêter les femmes dans l'accomplissement public des actes capables de blesser la décence. Ceux que j'ai eu l'occasion d'examiner étaient tous des vieillards presque septuagénaires, des rentiers, des commerçants retirés, des oisifs, arrêtés dans des lieux publics au moment où ils se livraient à des exhibitions ou à des attouchements obscènes.

La première question à se poser dans des cas semblables,

(1) *Médecine légale*, 3e édit., t. I, p. 342. Paris, 1852.

qui confondent à la fois le sentiment et la raison, c'est de savoir s'ils ne sont pas l'effet d'un dérangement des facultés intellectuelles et morales, de cet affaiblissement sénile qui transforme en une sorte de délire érotique les mouvements des sens, et ne laisse survivre, dans les esprits éteints, que des passions libertines. La constatation d'un état confirmé de démence peut restituer à ces faits leur véritable caractère.

D'autres fois, c'est sous l'empire d'une excitation physique en quelque sorte involontaire que l'outrage a été commis, et l'inculpé ou ses proches savent invoquer, pour sa justification, quelque maladie cachée qui le porte, malgré lui, à des attouchements ou à des actes obscènes. Ce sera, le plus souvent, une affection cutanée, une dartre au pourtour de l'anus ou des parties sexuelles, y déterminant une démangeaison incommode, une chaleur insupportable, dont l'expert aura à apprécier la nature et les effets.

Enfin, dans certains cas non moins dignes d'attention, ces actes, qui ont paru outrageants pour la pudeur publique, ne sont, en réalité, que la conséquence d'une infirmité qu'il appartient au médecin de reconnaître et d'expliquer. Des vieillards, qu'un séjour prolongé en certains endroits de la voie publique, que certains attouchements en apparence impudiques avaient désignés à l'attention des agents de l'autorité, cédaient simplement aux nécessités d'une affection chronique des voies urinaires, unique cause de l'émission lente de l'urine et des mouvements propres à solliciter et à hâter la miction. De telles conditions physiques sont de nature, on le comprend, à enlever aux faits tout caractère de criminalité; et c'est le médecin qui peut seul arrêter les poursuites commencées.

Celui-ci ne devra jamais du reste négliger de rechercher s'il existe des traces d'habitudes de pédérastie chez les individus inculpés d'outrages publics à la pudeur ; il ne faut pas oublier en effet que cette qualification légale est presque la seule sous laquelle s'exerce, lorsqu'elle est possible, la répression de ce vice honteux.

DEUXIÈME PARTIE

VIOLS ET ATTENTATS A LA PUDEUR.

Je crois parfaitement inutile de définir le viol et l'attentat à la pudeur, et d'entrer à cette occasion, à la suite de tous les auteurs de médecine légale, dans de longs commentaires de droit pénal et de jurisprudence. Je ne suis nullement tenté par les prétentions de criminaliste, et je m'efforcerai toujours pour ma part de rester dans mon rôle de médecin légiste, persuadé que la science n'a rien à gagner ni en considération ni en autorité en s'engageant dans une voie qui n'est pas la sienne, et où elle risque à chaque pas de se compromettre d'une manière toute gratuite. Ce qui importe au point de vue médico-légal, c'est moins de définir le viol et l'attentat à la pudeur, dont la signification vulgaire est connue de tous, que de les distinguer par quelque caractère précis et constant. Il suffira à cet égard d'admettre, entre les actes attentatoires à la pudeur commis avec ou sans violence, le signe distinctif de l'intromission complète avec ou sans défloration caractéristique du viol, et de la non-intromission, propre au simple attentat.

L'histoire que je vais tracer de ces deux ordres de faits a pour base l'analyse de 400 cas que j'ai eu à examiner en qualité d'expert. Il m'a semblé que la marche la plus utile à suivre dans cette étude était d'exposer en détail et indépendamment de toute appréciation médico-légale, les faits eux-mêmes tels qu'ils se présentent à l'observation, en leur conservant leur physionomie générale, et en les décrivant suivant les procédés de la méthode nosographique. Cet exposé analytique permettra d'examiner ensuite, et de discuter en pleine connaissance de cause, les nombreuses questions médico-légales auxquelles peuvent donner naissance les poursuites judiciaires en matière de viol et d'attentat à la pudeur. Je commencerai par donner un aperçu statistique sur les conditions dans lesquelles se présentent ces deux crimes, et par présenter quelques considérations préliminaires sur la conformation des parties sexuelles de la femme. Je ferai connaître ensuite les signes de l'attentat à la pudeur, ceux du viol, et quelques signes communs à l'un et à l'autre. J'indiquerai les données que peut fournir l'examen de l'inculpé dans les cas de cette nature. Enfin, après avoir dit quelques mots sur les faits exceptionnels d'attentats commis sur des femmes par de petits garçons, je passerai en revue, en les discutant avec soin, les questions très-diverses auxquelles peut avoir à répondre le médecin légiste appelé à éclairer la justice dans les accusations d'attentat à la pudeur et de viol. Rien ne manquera ainsi, je l'espère, au développement de cette étude, que compléteront un certain nombre d'exemples choisis parmi les nombreux rapports que j'ai rédigés sur ces sortes d'affaires.

STATISTIQUE DU VIOL ET DE L'ATTENTAT A LA PUDEUR.

Il m'a paru intéressant de réunir ici quelques chiffres propres à faire connaître le degré de fréquence des crimes commis contre la pudeur, leur répartition suivant les localités, les saisons, le sexe et l'âge. Aucun de ces détails n'est indifférent pour le médecin digne de ce nom, qui ne peut rester étranger à ces sujets de morale et d'économie sociale, que personne mieux que lui, pour les avoir observés sur la nature, n'est à même de juger et de comprendre.

Fréquence des crimes d'attentat à la pudeur et de viol. — Si l'on ouvre la statistique de la justice criminelle en France pour la période de vingt-cinq années qui s'étend de 1826 à 1850 (1), on voit que les crimes contre les personnes, qui ont éprouvé la plus forte augmentation pendant cet espace de temps, sont les viols et les attentats à la pudeur avec ou sans violences, notamment ceux qui ont eu pour victimes des enfants de moins de seize ans.

En effet, le nombre des accusations de ce dernier crime, qui n'était que de 136, année moyenne, de 1826 à 1830, a été de 420 de 1846 à 1850. Le chiffre a plus que triplé. Les accusations de semblables violences commises sur des adultes ne se sont accrues d'une période à l'autre que de 34 pour 100.

Répartition par localités. — C'est dans les départements qui ont pour chefs-lieux les plus grands centres de population que l'on trouve le plus de ces crimes.

De 1846 à 1850 il en a été jugé, par année, 35 à Paris, et de 10 à 15 à Lyon, Versailles, Angers, Nantes, Bordeaux, Rennes et Rouen.

On remarque que les attentats sur les enfants sont plus fréquents dans les villes, et sur les adultes plus fréquents dans les campagnes. Ainsi, sur 1,000 accusés d'attentats sur les adultes, on trouve 742 habitants des campagnes et 258 habitants des villes; d'attentats sur les enfants, 625 habitants des campagnes et 375 habitants des villes.

Répartition des viols et attentats à la pudeur par saisons. — M. Villermé, dont le nom vénéré se retrouve dans quelque sujet que l'on étudie touchant la statistique, a été amené (2) à rechercher dans quels mois il se commet le plus ou le moins de viols, ou autres attentats à la pudeur ; et sur 808 cas, durant une période de trois années successives, il a obtenu les

(1) *Rapport sur l'administration de la justice criminelle en France*, de 1826 à 1850.

(2) *De la distribution par mois des conceptions et des naissances de l'homme* (*Ann. d'hyg. et de méd. lég.*, t. V, p. 83).

résultats suivants, que nous résumons dans l'ordre de leur plus grande fréquence :

Mai, juin, juillet	293
Août, septembre, octobre	205
Février, mars, avril	171
Novembre, décembre, janvier	139
	808

On voit que les mois de la belle saison, de la saison chaude, sont ceux qui fournissent le chiffre le plus élevé d'attentats, et la constance des résultats pendant trois années de suite ajoute encore à l'intérêt de cette donnée.

Répartition suivant le sexe et l'âge. — Ces seuls mots de viol et d'attentats à la pudeur éveillent l'idée de violences exclusivement commises sur des personnes du sexe féminin; cependant nous aurons à citer des exemples, peu nombreux il est vrai, d'attentats commis par des femmes sur de petits garçons.

Quant à l'âge des victimes de ces sortes de crimes, je crois utile de consigner ici le relevé des 400 cas qui me sont propres, répartis suivant l'âge :

Au-dessous de 11 ans	198
De 11 à 15 ans	110
De 15 à 20 ans	59
Au-dessus de 20 ans	7
Non indiqué	26
	400

On voit dans quelle proportion considérable, plus des deux tiers, les cas d'attentats commis sur les enfants l'emportent sur ceux qui concernent les adultes.

CONSIDÉRATIONS SUR LA CONFORMATION DES PARTIES SEXUELLES CHEZ LA FEMME

Si l'on veut bien comprendre et juger sainement les cas d'attentat à la pudeur et de viol, il est indispensable de posséder une notion exacte de la conformation des parties sexuelles de la femme. Non qu'il importe d'entrer à cet égard dans des détails minutieux d'anatomie descriptive ; il suffit d'en connaître avec précision la disposition et l'apparence générale au point de vue spécial de la constatation de l'état de virginité. Tel sera le but de l'aperçu qui va suivre.

Les parties dont il importe de connaître la conformation, au point de vue des questions médico-légales de viol et d'attentat à la pudeur, sont les grandes et les petites lèvres, le clitoris, la fourchette, la fosse naviculaire, l'hymen, les caroncules myrtiformes, l'urèthre et le bulbe, le vagin, et enfin le squelette qui supporte ces diverses parties. Mais avant de les passer en revue il ne sera pas inutile de consigner ici quelques observations préliminaires sur la constitution générale du système génital extérieur de la femme.

Une première remarque qu'il est bon de ne pas perdre de vue dans tout ce qui touche à ce sujet, c'est l'infinie variété des différences individuelles que présentent les parties sexuelles chez la femme, d'où résulte l'impossibilité de poser un type unique, auquel leur conformation normale puisse être rapportée.

Chez les petites filles l'aspect général des parties extérieures de la génération a été très-judicieusement signalé par M. Devergie (1), et j'ai bien des fois vérifié la justesse de ses observations, comme l'a fait de son côté M. Toulmouche. Des deux systèmes réunis dans les mêmes parties, le système urinaire et le système génital, le premier prédomine chez l'enfant, le second chez la femme, ou seulement chez la fille nubile. Aussi voit-on chez les petites filles la vulve entr'ouverte à la partie supérieure, de manière à laisser voir l'orifice de l'urèthre, et fermée au contraire à la partie inférieure. C'est l'inverse qui a lieu chez l'adulte, et l'on peut suivre les modifi-

(1) *Médecine légale*, 2e édit., t. I, p. 342.

cations que l'âge imprime à la disposition relative de ces appareils. J'ajoute que l'ouverture de la vulve chez les enfants est dirigée directement en avant et non obliquement de haut en bas.

Une autre observation très-importante et très-féconde pour le médecin légiste nous a été suggérée par des recherches anatomiques très-ingénieuses de M. le docteur Dolbeau. Les parties extérieures peuvent se diviser en deux sections, l'une vaginale, l'autre vulvaire que limite et sépare dans l'état de virginité la membrane hymen. En avant de celle-ci se trouve une sorte de vestibule que M. Dolbeau décrit sous le nom de canal vulvaire et dans la composition duquel entrent d'avant en arrière les grandes et les petites lèvres, en haut le clitoris, le bulbe et les corps caverneux qui se prolongent sur les côtés, et en bas la fourchette et les fosses naviculaires. La longueur et la profondeur de ce canal varient suivant des circonstances diverses, et en particulier, pour ce qui touche nos études spéciales, c'est sur sa forme et sur ses dimensions que portent les modifications caractéristiques qu'amènent chez les petites filles les attentats à la pudeur anciens et répétés.

Grandes et petites lèvres. — C'est sur les grandes et les petites lèvres que portent principalement les différences individuelles dont j'ai rappelé la fréquence. Leurs dimensions et leur volume varient; mais il est à remarquer que c'est souvent sous l'influence de l'excitation sexuelle qu'elles peuvent se développer d'une manière hâtive. Les petites lèvres notamment subissent, par le fait d'attouchements et de tiraillements répétés, un allongement tel, qu'elles dépassent de beaucoup les grandes lèvres.

Clitoris. — Le clitoris présente au même point de vue des variations très-grandes, et, bien que l'on ne puisse en fixer d'une manière absolue les dimensions normales, il est permis de regarder son développement exagéré comme une présomption d'attouchements et d'habitudes vicieuses. Il faut noter encore le plus ou moins de rougeur et de turgescence de cet organe, la mobilité et la laxité plus ou moins grande du prépuce qui le recouvre.

Fourchette et fosse naviculaire. — La limite inférieure de la vulve forme chez les filles vierges une bride plus ou moins saillante, tendue au-devant du vagin, que l'on nomme la fourchette, et derrière laquelle existe une sorte de cul-de-sac plus ou moins profond qui, connu sous le nom de fosse naviculaire, la sépare de la membrane hymen. Le degré de résistance de cette bride varie; mais elle finit par disparaître par suite de la défloration ou du travail de l'accouchement, et laisse, après qu'elle a été détruite, la vulve plus largement ouverte en arrière et en bas.

Hymen. — La membrane hymen, qui peut être définie le signe physique de la virginité, tient une trop grande place dans l'appréciation médico-légale des cas de viol pour ne pas être étudiée avec le plus grand soin dans toutes les particularités de sa constitution et de sa disposition anatomiques.

On a peine à se rendre compte des singulières divergences qui se sont produites, entre les anatomistes des deux derniers siècles, touchant l'existence même de cette partie des organes sexuels de la femme. On se demande comment elle a pu être contestée, et même absolument niée, quand on considère les résultats constants de l'observation moderne à cet égard. Je crois superflu de reproduire ici la nomenclature tant de fois citée des auteurs qui ont prétendu nier l'existence de l'hymen : qu'il suffise de rappeler que Buffon était du nombre. Je préfère opposer à l'erreur des plus grands noms la réalité des faits, consacrée aujourd'hui par l'unanimité des auteurs. M. le docteur C. Devilliers, dans des recherches spéciales très-bien faites (1) et qui portent sur 150 cas, Orfila dans 200 ob-

(1) *Nouvelles recherches sur la membrane hymen et les caroncules hyménales* (dans la *Revue médicale*, 1840, t. II).

servations (1), moi-même dans 400, n'avons jamais manqué de trouver la membrane hymen ou ses débris. Les exceptions qui ont été rapportées sont trop peu nombreuses et trop peu certaines pour modifier la règle qui confirme l'existence de la membrane hymen. Ce n'est pas sans étonnement que j'ai vu M. Toulmouche citer un cas d'absence de cette membrane, cas sur lequel, d'ailleurs, l'absence de détails précis permet de conserver des doutes. Il s'agit d'une jeune fille de quatorze ans non réglée : « L'orifice du vagin permettait facilement l'introduction du doigt, la membrane hymen n'existait pas, mais elle ne présentait aucune déchirure récente. » C'est à cette vague indication que se réduit le fait donné par M. Toulmouche comme un exemple d'absence de l'hymen.

Cette membrane, qui n'est en réalité, d'après son mode de formation, que le prolongement et la terminaison du vagin dans le vestibule vulvaire, existe visible au moment même de la naissance. Mais sa situation varie suivant l'âge. Elle est très-profondément placée chez les petites filles, et ce n'est qu'en écartant fortement les cuisses et les lèvres qu'on la découvre à 6 ou 8 millimètres de l'entrée de la vulve. Elle devient plus tard plus superficielle et plus distincte.

Quant à sa forme, elle présente des différences individuelles assez nombreuses qui peuvent être néanmoins ramenées à cinq types fondamentaux que je vais faire connaître dans l'ordre de leur plus grande fréquence. Celui-ci n'a, d'ailleurs, rien d'absolu, mais résulte pour moi, on le sait, d'un très-grand nombre d'observations.

1° La première forme de l'hymen, à peu près constante dans l'enfance, et qui se prolonge parfois jusqu'au delà de la puberté, consiste en une disposition labiale de la membrane, dont les bords, séparés par une ouverture verticale et affrontés l'un à l'autre, font saillie à l'entrée du vagin, qu'elle ferme,

(1) *Traité de médecine légale*, 4e édit. 1848, t. I, p. 135. Paris.

si l'on me permet de parler ainsi, en manière de cul de poule. (Pl. I, *fig.* 1.)

2° Dans un second type, on voit l'hymen former un diaphragme irrégulièrement circulaire, interrompu vers le tiers supérieur par une ouverture plus ou moins large et plus ou moins haut placée; cette disposition est très-commune, et je la regarde comme plus fréquente que les suivantes. (Pl. I, *fig.* 2.)

3° La troisième consiste en un diaphragme exactement et régulièrement circulaire, percé d'un orifice central. (Pl. I, *fig.* 3.)

4° Dans le quatrième type que MM. Devilliers et Devergie paraissent avoir rencontré le plus souvent, l'hymen représente un diaphragme semi-lunaire en forme de croissant à bord concave supérieur plus ou moins échancré, et dont les extrémités vont se perdre en dedans de petites lèvres. (Pl. I, *fig.* 4.)

5° Enfin la membrane hymen constitue quelquefois, à l'entrée du vagin, une simple bandelette circulaire ou semi-lunaire réduite à une sorte de repli ou de frange qui double les petites lèvres et dont la hauteur varie de 2 millimètres chez les petites filles, à 6 ou 8 chez les adultes. (Pl. I, *fig.* 5.) Je l'ai vu former un simple rebord ou bourrelet annulaire faisant une légère saillie autour de l'entrée du vagin, et cette disposition aurait fort bien pu simuler l'absence de membrane hymen.

Il convient de mentionner certaines anomalies que peut présenter l'hymen en dehors des cinq types normaux qui viennent d'être décrits. Morgagni et M. le professeur J. Cloquet l'ont vue, par exemple, former une sorte de rideau placé au milieu du vagin et relevé de façon à laisser de chaque côté une ouverture latérale. Fabrice de Hilden a décrit un diaphragme criblé de trous qui est comparable à ces cas où l'hymen est réduit à des filaments membraneux séparés, tendus d'un côté à l'autre de l'entrée du vagin. Enfin elle peut constituer une cloison complète sans ouverture, ou encore se composer d'un double diaphragme superposé.

Telles sont les formes principales que peut affecter la

membrane hymen. Par les progrès de l'âge elle subit quelques modifications essentielles. A mesure que les parties se développent, la membrane s'élargit dans le sens transversal. Composée de deux feuillets muqueux, entre lesquels s'étendent quelques fibres musculaires et se ramifient de nombreux vaisseaux, elle peut subir un épaississement plus ou moins marqué. Je n'ai pas vu cependant que cet accroissement se fît par places, de manière à donner à l'hymen l'apparence d'un éventail et à former sur son bord libre des renflements réguliers, comme le dit M. Devergie. Le changement le plus remarquable consiste dans le relâchement du voile membraneux, qui, à mesure qu'il se développe et qu'il cède à l'effort menstruel, présente moins de résistance. Il est faux que, dans les cas où il persiste jusque dans la vieillesse, il acquière plus de résistance et de dureté. M. Devilliers l'a rencontré, chez des femmes d'un grand âge, très-souple et facile à déchirer.

Caroncules myrtiformes ou *hyménales.* — La nature et l'origine de ces parties ont été souvent mal appréciées ; et l'erreur, qui au point de vue anatomique est sans importance, pourrait avoir, en médecine légale, de très-fâcheuses conséquences.

Quelques auteurs ont voulu y voir les rudiments de l'hymen incomplétement développé, et par suite un signe réel, quoique imparfait, de virginité; tandis que ce ne sont, en réalité, que les débris irréguliers de l'hymen déchiré, les restes de ses lambeaux rétractés affectant des formes qui n'ont rien de fixe; végétations, tubercules, crêtes de coq, languettes, excroissances polypiformes, et placés en nombre variable sur divers points du pourtour de l'entrée du vagin. C'est de cette façon qu'il convient d'envisager les caroncules; et elles acquièrent alors d'autant plus d'importance, qu'elles indiquent les changements survenus dans l'état de l'hymen et le degré de rétraction qu'ont subi ses lambeaux déchirés.

Urèthre et bulbe. — Il n'y a rien à dire de particulier sur ces parties, si ce n'est que le bulbe érectile placé sous l'urèthre se prolonge souvent en avant et complète, à la partie supérieure de la vulve, le cercle de l'hymen ; qu'il descend en outre de chaque côté au-devant de cette membrane, et contribue à donner plus de profondeur au vestibule ou canal vulvaire au fond duquel elle est placée.

Vagin. — L'orifice du vagin laissé libre par l'ouverture de la membrane hymen présente, ainsi que je l'ai déjà dit, des dimensions très-variables, suivant le développement qu'a pris l'hymen, suivant sa direction plus ou moins verticale, et enfin suivant les habitudes. Chez l'enfant à l'état normal il admettra l'extrémité d'une plume, plus tard et vers la puberté à peine l'extrémité du petit doigt, rarement même chez la femme adulte plus du bout du doigt indicateur. C'est là, du reste, un point important à noter, et cette dilatation plus ou moins considérable de l'orifice du vagin peut fournir les renseignements les plus intéressants dans la recherche médico-légale de l'attentat à la pudeur.

Il en est de même des dimensions du vagin lui-même : l'étroitesse ou le relâchement de ce conduit, bien que naturellement variables, doivent néanmoins être pris en grande considération au point de vue de la constatation de la virginité. Il faut d'ailleurs faire la part de la contractilité plus ou moins énergique que donnent à ce canal les fibres musculaires qui s'entre-croisent dans toute la longueur de ses parois.

Squelette. — Toutes les parties que nous venons d'examiner sont soutenues par un squelette, dont la disposition influe d'une manière très-notable sur la possibilité des actes constitutifs de l'attentat ou du viol. Le faible écartement de l'arcade pubienne chez les jeunes enfants s'oppose plus encore que l'étroitesse des parties molles à l'intromission du membre viril. Le squelette forme ainsi une barrière invincible qui rend le plus souvent impossible la défloration complète chez les petites filles.

DE LA MANIÈRE DE PROCÉDER AUX VISITES DANS LES CAS DE VIOL ET D'ATTENTATS A LA PUDEUR.

Je terminerai ces considérations préliminaires par quelques préceptes relatifs à la manière de procéder aux visites dont le médecin légiste est chargé dans les cas de viol et d'attentats à la pudeur.

La nécessité de ces visites corporelles est généralement assez bien comprise par les femmes qu'intéressent les poursuites, pour qu'il soit excessivement rare qu'elles aient l'idée de s'y refuser. Dans le cas cependant où elles manifesteraient une opposition formelle, il est du devoir de l'expert, de ne jamais passer outre ; et après avoir épuisé les remontrances que les circonstances pourront lui suggérer, il devra se contenter de consigner dans son rapport le refus devant lequel il se sera arrêté. Il est également convenable à tous égards, que dans ces sortes de visites toujours délicates, l'expert, afin d'aller au-devant de tous les scrupules et de tous les calculs, se fasse assister d'une femme, et de préférence, de la mère ou d'une parente, lorsqu'il s'agit d'une jeune fille.

Enfin il est certaines précautions matérielles qu'il ne faut pas négliger pour assurer le résultat de l'examen auquel on se livre. Il ne devra jamais avoir lieu au moment de l'époque menstruelle, ou du moins, si une première fois on a dû procéder durant cette période, il faudra renouveler la visite dans un temps plus favorable. La pudeur, la crainte, la sensibilité des parties peuvent rendre l'examen très-difficile, parfois même impossible. Avec de la patience et de grands ménagements, on parviendra en général à surmonter ces difficultés; il faut d'ailleurs, chez les enfants surtout, agir avec assez de lenteur pour arriver à écarter suffisamment les parties les plus extérieures et à découvrir l'hymen profondément situé. Il n'est pas inutile d'insister à cet égard sur l'importance de la position à donner à la personne soumise à la visite, en vue de faciliter par tous les moyens possibles un examen commode et complet.

DES SIGNES DES ATTENTATS A LA PUDEUR.

On doit entendre sous ce titre, d'une manière générale, tout acte attentatoire à la pudeur, quelle qu'en soit la nature, consommé ou tenté avec ou sans violence, sur une personne de l'un ou de l'autre sexe; mais sans défloration s'il s'agit d'une vierge ou sans intromission complète s'il s'agit d'une femme qui n'est plus vierge.

Cette distinction purement médicale, qui s'attache uniquement au fait matériel constitutif du viol, reproduit de plus assez exactement le sens de la définition légale. Elle est d'ailleurs d'une extrême importance, car elle seule peut permettre d'étudier avec fruit les cas les plus nombreux et les plus délicats que le médecin légiste rencontre dans la pratique. Et cependant, par une singulière et presque incroyable contradiction, elle est complétement négligée par les auteurs, qui la laissent à peine soupçonner. Les chiffres pourront, mieux que tout ce que je pourrais dire, faire juger de la place qu'il convient de réserver dans cette étude aux attentats à la pudeur. Sur les 400 observations que je m'efforce d'analyser ici fidèlement, 261, c'est-à-dire près des deux tiers, étaient relatives à cet ordre de faits. Comment comprendre après cela qu'Orfila, pour ne parler que de lui, ne les mentionne qu'en ces termes restreints et incomplets (1) : « *Il n'est pas sans exemple* (2 fois sur 3!) que les tribunaux aient été saisis de plaintes portées par des jeunes filles, ou par leurs ayants cause, dans lesquelles un individu serait accusé d'avoir exercé des frottements à la surface des or-

(1) *Loc. cit.*

ganes sexuels et des parties qui les avoisinent, sans qu'il y eût eu la moindre tentative d'introduction et sans que la plaignante présentât un délabrement des parties génitales, ni aucun signe de meurtrissure; or, il est évident que, si les attouchements dont je parle n'ont point été consentis, il y a eu attentat à la pudeur. *L'avis du médecin, dans les cas de ce genre, sera rarement utile* pour éclairer la justice, les organes sexuels ayant conservé leur intégrité et la surface du corps n'offrant, dans beaucoup de circonstances, aucune trace de contusion ni de violence. Toutefois, si la plaignante accusait l'individu qui l'a approchée de lui avoir communiqué la maladie vénérienne, l'homme de l'art serait requis pour constater l'existence de la syphilis. »

Il me sera facile de démontrer que, contrairement à cette doctrine qui est celle de la plupart des auteurs qui ont écrit sur la médecine légale, ces faits sont de ceux sur lesquels l'avis du médecin est le plus souvent réclamé par la justice et peut être le plus utile pourvu qu'il soit éclairé. Mais cette lumière nécessaire ne peut précisément s'acquérir que par l'étude scrupuleuse et approfondie des faits, dans toute leur vérité et dans la rigoureuse exactitude de leurs conditions et de leurs caractères les plus ordinaires.

M. Toulmouche, qui sur ce point comme sur presque tous les autres a vu juste et a écrit en bon et fidèle observateur, remarque que, « de deux à treize ans, les organes sont trop peu développés pour qu'il y ait introduction; il y a seulement frottement et pression sur la vulve. » Si l'on réduit un peu la limite et qu'on la restreigne de deux à dix ans, on doit reconnaître la justesse de cette observation. Aussi sont-ce surtout les enfants qui sont victimes des attentats à la pudeur dont nous allons nous efforcer de faire connaître aussi exactement que possible les signes caractéristiques.

Une distinction importante doit être établie entre les

attentats, suivant qu'ils sont constitués par des *actes récents* et *isolés* ou par des *actes anciens* et *répétés*, qui donnent lieu en effet à des signes très-différents. De plus la nature et la diversité des actes qui constituent les attentats à la pudeur sont souvent bornées à de simples attouchements ou à des pratiques obscènes que nous n'avons pas à décrire, de telle sorte que dans un assez grand nombre de cas, lors même que les faits étaient parfaitement avoués, il n'existait sur les personnes qui les avaient subis aucune trace appréciable. C'est ce que nous avons constaté dans 118 des 261 exemples d'attentats soumis à notre examen. Dans ces circonstances, le médecin n'a à consigner que des *signes négatifs*.

Mais le plus souvent, en raison même du jeune âge des victimes, de l'extrême délicatesse des organes chez les petites filles, et d'une autre part, de la brutalité des attouchements ou de la violence des frottements exercés par les coupables, des *signes positifs* permettent de reconnaître et de caractériser les traces matérielles de ces actes criminels, ainsi que nous l'avons fait dans 143 cas qui nous serviront à en tracer la description suivante.

Irritation de la vulve. — Dans les cas les plus simples, une irritation légère de la vulve, caractérisée par un peu de rougeur et de chaleur des parties, est la seule suite de pareils actes et doit être signalée par l'expert, bien qu'avec toutes réserves.

Inflammation vulvaire. — Mais plus souvent les désordres ont un caractère plus sérieux et plus tranché. Une inflammation aiguë et plus ou moins violente se développe dans les parties extérieures de la génération, chez les petites filles surtout âgées de moins de onze ans.

Les grandes et les petites lèvres sont gonflées et contuses; leur face interne, ainsi que la membrane hymen et l'entrée du vagin, sont le siége d'une rougeur très-vive et d'une douleur qui rend tout examen difficile et pénible, parfois même absolument impossible. Sur le bord et en dedans des lèvres grandes et petites, il n'est pas rare de rencontrer des excoriations, des érosions superficielles, parfois de véritables ulcérations. On a voulu donner aussi, comme un caractère de cette inflammation vulvaire, la formation d'ecchymoses sur les grandes lèvres. Cette opinion se trouve exprimée dans un rapport médico-légal, cité par MM. Briand et Chaudé (1) avec cette remarque que « l'ecchymose est très-fréquemment un résultat de l'inflammation dans les tissus excessivement vasculaires comme est celui de la vulve. » Je crois le fait et l'interprétation également erronés. L'extravasation sanguine, qui constitue essentiellement l'ecchymose, n'est pas le propre de l'inflammation ; et lorsque l'on rencontrera de semblables lésions sur les parties que l'on a lieu de supposer atteintes par les actes attentatoires, on devra les attribuer à des violences directes et non aux progrès de l'inflammation.

Le signe capital de celle-ci consiste en un écoulement purulent, d'un jaune verdâtre, assez abondant pour baigner toutes les parties extérieures et souiller la chemise de taches nombreuses, assez épais pour agglutiner en se desséchant les lèvres de la vulve. Nous l'avons constaté dans presque tous les cas d'attentat à la pudeur ayant laissé des traces, 115 fois sur 143.

La marche de cette inflammation vulvaire, caractéristique de l'attentat à la pudeur, est remarquable par l'extrême rapidité du début. Quelquefois, surtout chez les très-jeunes enfants ou lorsque la violence a été considérable et prolongée, quelques heures suffisent pour qu'elle éclate avec une très-grande intensité. Mais souvent elle se fait attendre

(1) *Manuel complet de médecine légale*, 6e édit., p. 765. Paris, 1858.

deux ou trois jours, rarement davantage. Elle s'annonce alors par une cuisson assez vive, une chaleur croissante, une douleur qui gêne la marche et provoque, de la part des petites filles, des attouchements qui, ainsi que les souillures de la chemise, ne tardent pas à révéler aux mères les moins attentives des actes jusque-là dissimulés par l'ignorance ou, trop souvent, par le consentement tacite des enfants. Dans tous les cas, cette inflammation acquiert un degré d'excessive acuïté que présentent bien rarement, dans le même temps, des inflammations dues à une autre cause.

Ici, en effet, se présente une grave difficulté, dont je dois, dès à présent, indiquer toute la portée en essayant de donner les moyens de la résoudre. Cette inflammation de la vulve, fréquente chez les petites filles, soulève en effet, dans les cas d'attentats à la pudeur, une double question relative à son origine et à sa nature. Les médecins qui ont pratiqué ou observé dans des hôpitaux consacrés à l'enfance sont très-disposés, je le sais, à considérer comme très-ordinaire et très-naturelle l'affection dont je viens d'esquisser les caractères. Mais je suis convaincu, pour l'avoir souvent vérifié moi-même à l'occasion de missions de justice que j'avais à accomplir dans les hôpitaux, que ces faits d'inflammation vulvaire réputée spontanée sont souvent, en réalité, consécutifs à des violences criminelles, et qu'il en est des attentats à la pudeur comme de bien d'autres crimes, l'avortement, par exemple, dont les suites vont se perdre ignorées et inaperçues dans le nombre des misères de toutes sortes qui peuplent les établissements hospitaliers des grandes villes.

Cette remarque ne s'applique pas à l'un des hôpitaux spéciaux, l'hôpital de Lourcine, où une salle est consacrée aux jeunes filles âgées de moins de quinze ans et reçoit chaque année une cinquantaine d'enfants atteintes de maladies vénériennes (1). « Pour celle-ci, toutes les fois que les organes

(1) On trouvera sur ce sujet les plus précieux renseignements dans

sexuels présentent des traces de violence, le chirurgien, au moment de l'admission, est tenu de les constater par un certificat qui est adressé à M. le préfet de police et par ce magistrat à la justice, lorsqu'il pense qu'il y a lieu de poursuivre ou lorsque les familles fournissent des renseignements de nature à faire saisir les coupables. »

Cette prescription donne une garantie exceptionnelle à la précision des diagnostics portés dans cet établissement, qui a été de tout temps un champ d'études si fécond, d'où son sorties les intéressantes recherches de MM. Cullerier, Huguier, Gosselin, Legendre, Bernutz, Lasègue et où j'ai puisé moi-même, dans de nombreuses missions de justice, un grand nombre d'observations instructives.

Il n'en est pas moins vrai qu'il peut exister chez les petites filles, et qu'il existe assez fréquemment, des inflammations ou, pour parler plus exactement, des écoulements de la vulve que l'on peut rapporter à quatre ordres de causes distinctes : 1° à une leucorrhée constitutionnelle ; 2° à une simple inflammation catarrhale ; 3° à une irritation locale due à des violences directes ; 4° enfin à une inflammation spécifique ou blennorrhagique, c'est-à-dire à une cause vénérienne.

C'est entre ces affections d'origine et de nature si diverses qu'il faut de toute nécessité établir des caractères différentiels, si l'on veut arriver à donner à celle qui est le résultat de violences criminelles la signification médico-légale qui lui appartient.

Ces caractères diagnostiques peuvent être tirés de plusieurs indications plus ou moins importantes, mais dont aucune,

l'admirable publication que l'hygiène publique doit à l'intelligente initiative de M. J.-B. Baillière, et au savant concours de MM. Trébuchet et Poirel-Duval. L'œuvre de Parent-Duchâtelet sur la prostitution, agrandie et complétée, renferme (t. II, p. 45) un chapitre rempli de faits nouveaux sur la prostitution dans les hôpitaux de vénériens et autres, rédigé avec autant de talent que d'exactitude par un des plus habiles administrateurs de l'assistance publique, M. Battel.

dans cette délicate matière, n'est à négliger, notamment de l'âge et de la constitution des personnes soumises à l'examen, de la marche et de la forme de l'inflammation, de la nature et du siége de l'écoulement, de la disposition et de l'apparence des ulcérations.

L'âge, je l'ai dit déjà, est une prédisposition marquée à ce genre d'inflammation ; et plus les parties seront sensibles et faciles à offenser, comme cela existe chez les très-jeunes enfants, plus des attouchements même peu violents pourront produire de désordres : c'est là une considération dont il faudra tenir compte. Mais c'est aussi chez les petites filles que l'on observe cette leucorrhée, qui paraît liée à une constitution débile, détériorée par les privations, les mauvais traitements et la malpropreté, ou naturellement appauvrie par l'exagération du tempérament lymphatique et par la disposition scrofuleuse. Il convient de donner une attention particulière à ces conditions spéciales, sans oublier toutefois que cette leucorrhée constitutionnelle offre des caractères très-distincts de ceux de l'inflammation aiguë de la vulve déterminée par des violences directes. L'aspect blafard des parties, la matière ténue, séro-muqueuse de l'écoulement, le relâchement des tissus, doivent suffire à la faire reconnaître et à la différencier des écoulements dus à toute autre cause.

La marche et la forme de l'inflammation vulvaire ne sont pas moins essentielles ; elles sont très-propres à fournir des signes diagnostiques très-importants, souvent même, je ne crains pas de le dire, vraiment décisifs entre l'inflammation catarrhale simple et l'inflammation que l'on peut appeler traumatique ou par cause directe. J'ai dit déjà que le début des accidents consécutifs à l'attentat est excessivement rapide, qu'ils éclatent parfois avec une soudaineté tout à fait en rapport avec la violence de l'irritation mécanique qui l'a produite. J'ajoute qu'il n'en est pas de même de l'inflammation simplement catarrhale, souvent liée à une fièvre éruptive ou autre, ou à une disposition générale qui trahissent des affections simultanées des autres membranes muqueuses, ophthalmie, catarrhe nasal ou bronchique. Les prodromes fébriles, la marche lente et graduelle de la lésion locale, et enfin la forme moins franche de l'inflammation, sont des signes on ne peut plus précieux, et qui ne tromperont pas un médecin exercé. Ce n'est pas dans l'inflammation simple de la vulve que l'on trouve ordinairement ce gonflement, cette rougeur, cette extrême sensibilité des parties, marqués surtout à l'entrée du vagin et sur la membrane hymen, et enfin cet écoulement si abondant et si épais qui donne à l'inflammation par violence directe ce caractère essentiellement aigu sur lequel je ne saurais trop insister.

C'est entre cette dernière espèce d'inflammation et celle que l'on peut qualifier de spécifique que la distinction peut paraître le plus difficile ; mais je me hâte d'ajouter que c'est entre ces deux aussi qu'elle est le moins nécessaire, puisque l'une et l'autre sont également l'indice d'actes attentatoires à la pudeur, et que la seconde présenterait seulement cette complication aggravante d'une maladie communiquée par un contact impur.

Je n'hésite pas à dire que des attouchements, que des pressions ou des frottements exercés sur les parties sexuelles d'une petite fille par l'homme le plus parfaitement sain, le plus complétement exempt de toute affection communicable, peuvent produire une inflammation tout aussi aiguë et tout aussi violente, un écoulement tout aussi abondant et tout aussi épais que l'approche d'un individu atteint d'un écoulement blennorrhagique ou de toute autre maladie contagieuse. Les tentatives faites pour trouver un signe différentiel, au moyen de l'examen microscopique, entre le pus non virulent et la matière blennorrhagique, sont restées sans succès jusqu'ici, malgré les recherches persévérantes et encore inédites, d'un excellent observateur, M. le docteur Bernutz. Il est cependant quelques particularités qui méritent d'être signalées et qui ont une valeur diagnostique réelle. L'une, que je n'ai vue indiquée nulle part, mais qui m'a vivement frappé dans un assez grand nombre de cas d'inflammation vulvaire dont la nature blennorrhagique, confirmée par les aveux et l'état de maladie de l'inculpé, ne pouvait me laisser le moindre doute, c'est la turgescence extraordinaire des vaisseaux répandus à l'entrée de la vulve et du vagin; ils offraient tout à fait l'apparence que présentent si fréquemment les veines de la verge gonflées et le prépuce turgescent chez les individus atteints d'une chaude-pisse très-aiguë. L'autre, beaucoup plus fréquente sans doute et plus caractéristique, est relative au siége de l'écoulement. Dans la phlegmasie non blennorrhagique, lorsque l'on presse sur le périnée, la matière de l'écoulement sort plus ou moins abondamment par l'orifice du vagin, mais non par l'urèthre; dans l'inflammation spécifique, au contraire, on voit constamment l'écoulement se faire à la fois par l'urèthre et par le vagin.

Cette observation que j'ai faite moi-même bien des fois, je suis heureux de la voir confirmer par l'autorité si grande de M. Ricord, qui au point de vue même qui est le nôtre, la consacrait dans un rapport médico-légal à l'occasion d'une grave accusation d'attentat à la pudeur (1) : « Il est « un signe, disait cet éminent observateur, qui, sans être « incontestable, a une grande valeur pour prouver qu'un « écoulement a été transmis : c'est lorsque l'écoulement a « pour siége l'urèthre. » Je le répète, je place avec confiance cette opinion, conforme à ce que j'ai vu moi-même, sous le patronage du savant syphilographe dont je viens de citer les propres paroles. En résumé, il y a donc, sinon dans la forme

(1) *Consultation sur une accusation d'attentat à la pudeur*, par les docteurs Ricord et Baudry, d'Évreux (*Ann. d'hyg. et de méd. lég.*, t. XXII, p. 447.)

de l'inflammation et dans les caractères de l'écoulement, du moins dans l'aspect des parties, dans leur turgescence, ainsi que dans le siége de l'écoulement par l'urèthre ou hors de ce canal, des moyens non pas absolument certains, mais d'une incontestable valeur, de distinguer l'inflammation blennorrhagique de la vulve de celle qui est produite par une violence directe indépendante de toute contagion.

Il est encore d'autres lésions qui peuvent se présenter sur les parties enflammées par les violences constitutives de l'attentat à la pudeur, et dont il importe de préciser nettement l'origine : je veux parler des érosions et ulcérations dont les grandes et les petites lèvres peuvent être le siége. Sans vouloir insister sur ces faits qui ne sont pas très-fréquents, il est bon de rappeler que, outre ces exulcérations produites par l'inflammation, d'autres ulcérations plus ou moins analogues peuvent se former sur les mêmes parties sous l'influence de causes différentes. MM. Huguier (1) et Legendre (2), dans des travaux déjà cités par M. Toulmouche, et où brillent toute la sagacité et le talent d'observation de ces excellents praticiens, ont tracé avec une grande netteté les caractères distinctifs des ulcérations de la vulve produites par l'herpès, et l'inflammation des follicules de la vulve, et de celles qui sont de nature syphilitique. Les unes et les autres peuvent se ressembler par leur forme arrondie, leur fond grisâtre et leurs bords découpés. Mais la multiplicité et la disposition en groupes réguliers des ulcérations herpétiques et folliculeuses suffisent à les caractériser. Elles sont d'ailleurs, aussi bien que les ulcères syphilitiques, très-différentes des érosions que déterminent le plus ordinairement l'inflammation de la vulve causée par l'irritation locale et les violences directes de l'attentat à la pudeur.

(1) *Mémoire sur les maladies des appareils sécréteurs externes de la femme* (*Mémoires de l'Académie de médecine*, t. XV. Paris, 1850).
(2) *Archives générales de médecine*. Août, 1853.

Enfin je mentionnerai, pour l'avoir rencontrée une fois seulement, mais dans des circonstances très-significatives, la formation de petites végétations évidemment produites par l'inflammation de la muqueuse. La membrane hymen existait sans déchirure. Mais sur sa face externe ainsi que sur le bord interne des petites lèvres et à l'entrée même de l'urèthre cinq petites excroissances ayant la forme de végétation granuleuse dont le volume variait depuis celui d'un gros grain de millet jusqu'à celui d'une petite lentille. Elles sont d'un rouge vif et formées aux dépens de la membrane muqueuse, qui du reste n'est pas ulcérée et n'est le siége d'aucun écoulement. Les ganglions de l'aine sont le siége d'un engorgement plus considérable. On ne voyait pas d'éruption spécifique sur les diverses parties du corps, notamment autour des organes sexuels et de l'anus. Cette lésion ne pouvait être attribuée à une maladie vénérienne communiquée, et était simplement le produit d'une irritation locale très-vive, analogue à celle que déterminent des frottements répétés, des attouchements violents et la tentative d'intromission du membre viril.

Lésions de la bouche et de l'anus. — Les actes odieux qui constituent ces attentats, impossibles à définir et à prévoir dans leur diversité, ne laissent pas toujours et exclusivement leurs traces sur les parties sexuelles. Il m'est arrivé quatre fois de rencontrer sur des petites filles de six ans, six ans et demi et onze ans, des lésions de la bouche et de l'anus, consistant en déchirures des lèvres et de la commissure en forme de rhagades, et en excoriations et déformations de l'anus. Dans l'un de ces cas, une ulcération syphilitique parfaitement caractérisée occupait l'angle de la bouche. Ces lésions, faites pour inspirer l'horreur, sont, on le voit, et resteront sans doute exceptionnelles dans les cas de la nature de ceux qui nous occupent.

Déformation caractéristique de la vulve. — Les faits dont j'ai parlé jusqu'ici ne se rapportent qu'à des actes violents, mais isolés, dont les traces passagères constituent, si je peux ainsi parler, la forme aiguë de l'attentat à la pudeur. Mais il est un grand nombre de cas, qui ne s'élèvent pas à moins de 66 sur 261 observations d'attentat, dans lesquels la répétition plus ou moins fréquente des mêmes actes a déterminé une déformation lente et graduelle des parties, et y laisse une empreinte tout à fait caractéristique.

Cette circonstance ne paraît pas avoir été soupçonnée par les auteurs, et M. Toulmouche est le seul à qui l'observation attentive et pratique des faits semble l'avoir indiquée.

J'ai dit que je l'avais pour ma part constatée 66 fois, et presque exclusivement chez de petites filles : au-dessous de onze ans, 33 fois ; de onze ans à quinze ans, 28 fois ; chez des filles de quinze à vingt ans, 4 fois seulement ; et enfin, par suite d'une circonstance exceptionnelle, 1 fois chez une fille âgée de quarante et un ans. Ce nombre de cas me permet de donner une description plus complète de ce genre particulier de déformation, qui a en réalité une si grande importance dans l'histoire médico-légale de l'attentat à la pudeur.

Un premier fait qui frappe chez les enfants ainsi livrés à ces habitudes corruptrices, c'est le développement prématuré des parties sexuelles et l'excessive précocité, qui contraste d'une manière parfois si singulière avec l'âge, la taille, la force et la constitution générale des petites filles. J'en ai vu plusieurs qui, à dix et onze ans, présentaient des signes de nubilité presque achevée. On trouve dans ces cas les grandes lèvres épaissies, écartées à la partie inférieure, la vulve largement ouverte, les petites lèvres allongées parfois au point de dépasser les grandes, et comme si elles avaient subi des tiraillements répétés. Le clitoris, augmenté de volume, peut avoir acquis des dimensions extraordinaires, comme il arrive souvent sous l'influence des habitudes d'onanisme. Il est souvent rouge, facile à entrer en érection, et en partie découvert.

Ce n'est pas tout : l'étroitesse des parties et la résistance de l'arcade osseuse sous-pubienne, s'opposant à l'intromission complète du membre viril et à la destruction de la membrane hymen, ont en même temps pour conséquence, lorsque les tentatives de rapprochements sexuels se reproduisent, le refoulement de la membrane hymen et de toutes les parties qui composent la vulve. Il en résulte la formation aux dépens du canal vulvaire d'une sorte d'infundibulum plus ou moins large, plus ou moins profond, capable de recevoir l'extrémité du pénis et très-analogue à celui qui a été indiqué comme caractéristique de la pédérastie. Je n'ai jamais observé que le périnée entrât dans la formation de cet infundibulum, ainsi que le dit M. Toulmouche d'après l'honorable chirurgien de la maison de Saint-Lazare, M. le docteur Boys de Loury. Mais la fourchette, très-déprimée, peut avoir disparu complétement.

La membrane hymen, qui occupe le fond de cet infundibulum, y forme parfois une sorte de bourrelet saillant percé au centre d'une ouverture à bords frangés. Plus souvent l'hymen est aminci, rétracté, réduit à une sorte d'anneau ou de repli circulaire qui laisse ouvert l'orifice dilaté du vagin. Ce n'est pas le plus ordinairement par suite d'une déchirure que l'hymen se trouve ainsi diminué, bien qu'il présente, dans quelques cas, sur son bord libre une déchirure incomplète ; mais la membrane a subi une sorte d'usure et d'atrophie, résultant des pressions répétées qu'elle a éprouvées et de la résistance dont elle a, presque seule, supporté l'effort. Les caractères de cette déformation sont d'ailleurs variables suivant l'âge.

Si on la considère chez des jeunes filles qui approchent de la puberté ou l'ont déjà atteinte, on trouve un évasement parfois très-considérable de la vulve, et l'on voit l'hymen, relâché, flotter en quelque sorte au-devant du vagin élargi, dont elle ne défend plus l'entrée. Aussi peut-il arriver que, par suite d'efforts répétés, l'intromission ait eu lieu d'une manière complète, qu'elle soit même suivie d'une grossesse, bien que l'hymen n'ait pas été détruit. Je ne m'explique pas que M. Devergie ait pu demander avec une expression de surprise et de doute : « Sur quels faits s'appuie-t-on pour soutenir que certaines femmes aient pu admettre l'introduction du membre viril sans que la défloration ait eu lieu (1)? » Ces faits sont loin d'être rares ; j'en ai vu plus d'un exemple, parmi lesquels l'Observation XVII que j'ai citée plus loin est des plus caractéristiques ; et ils n'ont rien qui doive étonner, si l'on suit, comme j'ai pu le faire dans des observations nombreuses, les progrès de cette déformation qui s'accomplit à la longue sous l'influence d'attentats répétés. D'autres auteurs très-dignes de foi en ont cité d'incontestables. Marc (2) rapporte entre autres le cas d'une fille de douze ans, qui, à la suite de rapports avec un garçon presque de son âge, avait eu les parties assez dilatées pour admettre un adulte, sans que l'hymen, affaissé par ses rapports antérieurs, ait été détruit. C'est là l'effet de cet élargissement des parties qui, de degré en degré, peut aller chez les petites filles jusqu'au refoulement de la membrane hymen, chez les plus grandes jusqu'au relâchement de l'hymen qui laisse béante l'entrée du vagin.

Ces faits ne sont certainement pas de nature à provoquer l'étonnement autant que ceux qu'a rapportés le savant professeur de médecine légale de la Faculté de Strasbourg, M. G. Tourdes (3), et dans lesquels une dilatation graduelle

(1) *Loc. cit.*

(2) *Dictionnaire de médecine*, t. XXX, art. *Viol.*

(3) *Des cas rares en médecine légale*, thèse de concours. Strasbourg, 1840.

et lente du méat urinaire avait été au point de permettre dans ce canal l'introduction du membre viril.

J'ajoute, pour terminer sur ce point, que certains vices de conformation des organes sexuels favorisent, chez des femmes qui ont depuis longtemps dépassé l'âge de la puberté, une déformation en tout semblable à celle que nous venons d'indiquer comme appartenant surtout à la seconde enfance. C'est ainsi que j'ai vu une fille de quarante et un ans, (*Observ.* XIX), forte et bien constituée, se disant vierge, et présentant une étroitesse du vagin dont les parois contractées et rigides ne pouvaient recevoir le pénis le moins volumineux. La vulve était évasée en entonnoir par suite de rapports sexuels qu'elle finit par avouer, et l'hymen formait au fond un bourrelet saillant percé au centre d'une ouverture à bords frangés qui n'admettait que l'extrémité du petit doigt.

Tels sont, en résumé, les signes des attentats à la pudeur, soit qu'ils constituent un acte de violence isolé et passager, soit que, par leur répétition, ils amènent une déformation caractéristique des organes sexuels des femmes ou des enfants qui les ont subis.

DES SIGNES DU VIOL.

Le viol peut être défini, au point de vue de la médecine légale, toute violence exercée sur les organes sexuels de la femme et caractérisée chez une vierge par la défloration c'est-à-dire par la déchirure complète ou incomplète de la membrane hymen ; et chez une femme faite, par l'intromission complète, c'est-à-dire par un rapprochement sexuel consommé.

Des caractères de la défloration. — Sur les 400 cas dont je présente l'analyse dans cette étude, on compte 136 viols dans lesquels 100 fois la défloration était complète et 36 incomplète.

« Ce n'est guère, dit M. le professeur Toulmouche, que depuis treize à quatorze ans jusqu'à dix-huit ou vingt, que le viol est consommé. « Je ne trouve pas la limite inférieure bien posée ; il résulte des faits que j'ai recueillis qu'elle doit etre reculée jusqu'à dix ans environ, je l'ai vue même descendre à six ans.

Voici d'ailleurs comment se répartissent mes 138 observations de viols :

		Déflor. complète.	Déflor. incompl.
Au-dessous de 11 ans.	29	11	18
De 11 à 15 ans.....	61	46	15
De 15 à 20 ans.....	41	38	3
Au-dessus de 20 ans.	5	5	»
Non indiqué.........	2	2	»

Ce tableau met en relief, d'une manière très-frappante, l'influence de l'âge sur le fait de la défloration. On voit en effet que, si elle est possible chez les petites filles, elle est le plus souvent incomplète ; et qu'à mesure que l'on s'élève vers l'âge nubile, elle devient à la fois plus fréquente et plus facile.

Du siége et de la forme de la déchirure de l'hymen. — La déchirure de l'hymen peut varier pour le siége et pour la forme, elle résulte à peu près constamment d'un effort brusque dirigé dans le sens de l'axe du vagin et qui porte principalement sur le centre et sur le bord libre de la membrane hymen, c'est-à-dire dans les points où elle offre le moins de résistance. C'est là qu'elle cède en effet, et la déchirure s'opère ordinairement de haut en bas et au milieu de la membrane, de manière à laisser de chaque côté un lambeau vertical (*pl. II, fig.* 1). Plus rarement la division a lieu en deux points, et laisse, entre les deux fragments latéraux, un lambeau médian triangulaire (*pl. II, fig.* 2). Une troisième forme de déchirure est celle dans laquelle la membrane hymen est divisée en quatre lambeaux plus ou moins réguliers (*pl. II, fig.* 4).

Je n'ai jamais remarqué que la rupture se fît précisément, comme le prétend M. Devergie, entre les renflements, d'ailleurs fort peu constants, du bord libre de l'hymen. Il y a à l'égard du siége de la déchirure de nombreuses différences qui tiennent, ainsi que le fait observer avec raison M. le docteur Devilliers, « à l'étendue de l'hymen, à sa forme, à sa résistance, à l'existence ou à l'absence et à la situation des plicatures vaginales qui la doublent, et enfin à la nature de la cause agissante. » Il est constant que la première espèce de déchirure répond surtout à la forme labiale de l'hymen ; la seconde à la forme semi-lunaire, tandis que la troisième s'observe surtout dans les cas où l'hymen formait un diaphragme complet à ouverture centrale.

La déchirure, qui n'intéresse dans la défloration incomplète qu'une partie plus ou moins considérable de l'hymen, et qui la divise plus ou moins profondément, peut s'étendre, dans la défloration complète, jusqu'à la fourchette elle-même, qui est souvent comprise dans la solution de continuité.

De la cicatrisation de l'hymen déchiré. — Lorsqu'elle est récente, la déchirure de l'hymen présente tous les caractères d'une plaie contuse à bords rouges et sanglants. L'inflammation, qui s'en empare promptement, y détermine une tuméfaction parfois assez marquée, et une suppuration qui peut entraver et retarder la cicatrisation. Celle-ci, dans tous les cas, s'opère sur place, c'est-à-dire que, lorsque la déchirure est incomplète, il reste sur le bord libre une dépression visible et remarquable par la couleur plus pâle du tissu cicatriciel ; et que, lorsque la défloration est complète, la membrane ne se réunit pas et reste séparée en deux ou plusieurs lambeaux qui se cicatrisent isolément. Il est très-important de rechercher quelle est la durée de cette période de cicatrisation, qui fournit les signes les plus certains de la défloration récente. A entendre les auteurs, et entre tous Orfila et

M. Devergie, celle-ci ne pourrait pas être reconnue au delà d'un temps très-court, dont ils restreignent les limites à un ou deux jours, et au plus trois ou quatre ; Briand et Chaudé la portent à cinq ou six. Ces estimations sont peu exactes, et à coup sûr beaucoup trop absolues. Les signes de la défloration récente ne disparaissent pas si vite; il n'est pas rare, au contraire, de les voir persister pendant un temps assez long. M. Toulmouche, toujours plus vrai, parce qu'il est plus pratique, ne craint pas de dire que la cicatrisation s'opère dans l'espace de huit à douze jours ; j'ajoute, en me rangeant à cette opinion, que je l'ai vue retardée jusqu'au quinzième et au vingtième jour. Plusieurs circonstances, d'ailleurs, peuvent en faire varier le terme ; particulièrement le degré d'inflammation des bords de la plaie de l'hymen et l'état de repos ou d'excitation répétée des parties. Dans les premiers jours qui suivent la défloration l'orifice du vagin est béant et laisse suinter une liqueur légèrement visqueuse incolore qui atteste un commencement d'irritation de la muqueuse vaginale.

De l'état des lambeaux de l'hymen après la défloration. — Tous les auteurs, sans exception, gardent le silence sur ce que deviennent les lambeaux de l'hymen après la défloration, et c'est là pourtant une circonstance capitale dans l'appréciation des faits de viol. Tantôt ils n'ont subi aucune rétraction; tantôt, au contraire, ils sont plus ou moins complétement rétractés. Dans le premier cas, l'hymen étant divisé dans toute sa hauteur, les deux lambeaux peuvent former de chaque côté un repli assez large, sinueux, comme froncé, qui ferme en partie l'orifice du vagin; quelquefois même, agglutinés par du mucus, ils simulent une membrane intacte ; d'autres fois ils flottent librement au-devant de l'entrée du vagin. Cet état peut persister pendant un temps très-long, dix-huit mois, ainsi qu'on le voit dans l'Observation LXIV de la *Médecine légale* de Devergie, pendant des mois et des années, comme je l'ai vu moi-même, tant qu'il n'y a pas répétition des actes sexuels, tant que la violence d'où résulte la défloration n'est pas suivie d'un commerce sexuel régulier. Dans ce second cas, au contraire, on voit les lambeaux se rétracter peu à peu et se réduire graduellement à l'état de caroncules hyménales (*pl. II, fig.* 5) ; plus rarement ils se renversent en dehors (*pl. II fig.* 4),et forment autour de l'orifice du vagin dilaté un double repli muqueux plus ou moins large, confondu à la base avec la cicatrice qui tient la place de la fourchette déchirée.

De l'état du vagin après la défloration. — On comprend que, dans ces deux cas si différents, l'état du vagin ne doit pas être le même ; il peut se faire qu'après la défloration il reprenne ses dimensions primitives et se montre encore très-étroit et très-peu dilatable ; lorsque, au contraire, les rapprochements sexuels se sont multipliés, en même temps que les lambeaux de l'hymen se rétractent, le vagin s'élargit et se laisse facilement distendre : il y a à tenir grand compte de ces différences.

Des traces de violences caractéristiques du viol. — La défloration n'est pas la seule trace de violence que l'on observe à la suite du crime de viol. Dans les cas où la visite de l'expert n'est pas trop tardive, nous l'avons noté dix-sept fois seulement, la brutalité des coupables et la résistance des victimes se traduisent par des lésions matérielles faciles à constater soit sur les organes sexuels, soit sur quelque autre partie du corps. Ces traces de violences consistent en ecchymoses, en excoriations, en érosions, qui reproduisent souvent par leur forme l'empreinte des doigts ou des ongles. Leur siége est particulièrement caractéristique. Outre celles que l'on rencontre autour des parties sexuelles, on en trouve sur les bras, aux poignets et sur les membres inférieurs, au-dessus des genoux et à la partie supérieure des cuisses. J'ai rencontré plus d'une fois un gonflement très-douloureux des aines et de la partie supérieure de la cuisse, qui avaient été écartées presque jusqu'au point de se luxer ; la marche était très-pénible et à peu près impossible. Ces violences se rencontrent, on le voit, partout où s'offre une résistance à paralyser, un effort à vaincre. Par les mêmes raisons, on peut constater autour du cou, sur les lèvres, à la face, des traces de pressions à l'aide desquelles on a cherché à étouffer les cris. Enfin les emportements de la lubricité peuvent laisser leur trace sur les seins, que l'on trouve parfois marbrés de contusions. J'ai vu, ce qui serait à peine croyable, l'extrémité du sein, le mamelon complétement arraché par une atroce morsure.

Il est une remarque générale qui doit trouver ici sa place. Les ecchymoses sont parfois assez lentes à paraître, et pourraient échapper à un examen fait dans les deux ou trois premiers jours qui suivent la consommation du crime. Il importe de ne pas oublier cette circonstance, afin de ne pas contredire par avance les résultats d'une enquête ultérieure qui établirait tous les signes du viol.

Des troubles de la santé générale consécutifs au viol. — Le viol, qui offense les sentiments les plus intimes de la jeune fille ou de la femme au moins autant qu'il blesse le corps, détermine souvent une perturbation morale et un ébranlement physique qui altèrent d'une manière plus ou moins grave, plus ou moins profonde, plus ou moins durable, la santé générale. Les accidents qui en résultent sont tantôt immédiats et passagers, tantôt secondaires et prolongés.

Parmi les premiers, il faut noter surtout les troubles nerveux variés, tels que la syncope, le délire, les convulsions, ou encore un mouvement fébrile aigu et violent, une sensation de brisement et de fatigue souvent accompagnée de douleurs déchirantes dans la poitrine. Parmi les seconds se rangent les troubles de la menstruation, les symptômes gastralgiques, des palpitations, qui, chez les jeunes filles nubiles, persistent plusieurs mois après la défloration, et qui offrent une complète analogie avec les troubles sympathiques qui accompagnent ordinairement les affections des organes génitaux. Le viol est quelquefois encore le point de départ d'une affection hystérique, d'une chorée et plus rarement de l'épilepsie. Dans les cas où la défloration a été suivie de rapprochements sexuels répétés, surtout sur de petites filles encore éloignées de l'âge de la puberté, on voit la constitution tout entière s'altérer en même temps que les organes génitaux deviennent le siége de la déformation que nous avons décrite. La pâleur du visage, le teint plombé, le regard éteint, les yeux cernés, la peau sèche, l'essoufflement, la lenteur et la difficulté des digestions, une extrême faiblesse, concourent à révéler l'influence pernicieuse qu'a éprouvée tout l'organisme d'actes contre lesquels la morale et la nature se soulèvent également.

Du viol suivi de mort. — La honte, la crainte du déshonneur, ont plus d'une fois poussé au suicide des femmes victimes de viol. J'en ai vu plusieurs exemples : dans l'un, une femme se jeta par la fenêtre au moment même où elle était délivrée de l'étreinte de celui qui avait abusé d'elle; dans un autre, une jeune fille déflorée se fit périr par asphyxie dans la nuit même qui suivit le crime.

D'autres fois le viol n'est que le prélude de l'assassinat, et soit que le coupable espère se dérober au châtiment en faisant disparaître le seul témoin qui puisse l'accuser, soit que, dans la lutte, il ne puisse vaincre la résistance ou étouffer les cris qu'en donnant la mort, il peut se faire que l'on ait à constater à la fois le meurtre et le viol. Dans les cas où j'ai été appelé à assister la justice pour des affaires de cette nature, c'est toujours par la strangulation que le crime avait été commis. Une fois, en outre, le cadavre avait été précipité dans l'eau.

Mais la mort n'est, dans ces diverses conditions, qu'une

suite indirecte, qu'une complication accidentelle en quelque sorte du viol. Il peut se faire, cependant, qu'elle en soit la conséquence directe et immédiate. Les troubles nerveux que j'ai indiqués comme pouvant éclater sous l'impression des violences subies, peuvent acquérir une telle intensité, être portés à un tel degré d'acuïté, que la femme succombe soit à une syncope, soit à un délire aigu, soit à un paroxysme convulsif, soit même à une fièvre cérébrale. J'ai vu tout récemment une jeune fille vierge enlevée par une méningite suraiguë à la suite d'une tentative de viol.

Il n'est pas non plus douteux que les délabrements produits dans les organes sexuels ne puissent aussi amener la mort, soit par une hémorragie dans le petit bassin, soit par une inflammation des ovaires et du péritoine. Ces cas ne se présenteront guère que lorsqu'une femme aura eu à subir les outrages répétés de plusieurs hommes, qui, chacun à leur tour, auront assouvi sur sa personne leur sauvage brutalité.

DES SIGNES COMMUNS AU VIOL ET AUX ATTENTATS A LA PUDEUR.

Il me reste à parler de quelques circonstances communes au viol et aux attentats à la pudeur, et qu'il est très-important de ne pas négliger dans l'étude et l'appréciation de faits de cette nature : j'entends le mal vénérien communiqué, et les différentes espèces de taches qui peuvent se produire sur les linges et sur les vêtements dans ces rapprochements criminels. Je ne ferai, du reste, qu'indiquer ici ces particularités, me réservant de les étudier avec détail et d'en apprécier la signification à l'occasion des questions spéciales auxquelles elles peuvent donner lieu.

Maladie vénérienne communiquée par le fait de l'attentat à la pudeur ou du viol. — Déjà, en parlant de l'inflammation de la vulve et du vagin qui peut survenir chez les petites filles par suite d'un attentat à la pudeur, j'ai rappelé que la communication d'un écoulement blennorrhagique pouvait s'opérer de cette façon. Sur les 115 cas dans lesquels j'ai observé un écoulement des parties génitales, 74 fois il était dû à une inflammation simple ; 41 fois il était de nature blennorrhagique. La blennorrhagie, bien distincte de l'affection syphilitique, peut être, au point de vue de la médecine légale, réunie avec elle sous le nom générique de maladie vénérienne. Mais il faut spécifier avec soin quelle est celle des deux affections que l'on rencontre dans un cas donné.

La syphilis se présente plus rarement que la blennorrhagie à la suite des attentats à la pudeur ou du viol. Je l'ai notée 19 fois seulement : 8 sans défloration et 11 avec défloration. Elle doit être envisagée dans ses diverses conditions, et particulièrement au point de vue de la nature et de la forme des accidents, de la période à laquelle ils appartiennent, et enfin du siége qu'ils occupent. Chacune de ces considérations peut être utilement invoquée pour la solution des questions posées à l'expert.

Il faut donc s'attacher avec soin à décrire le caractère de l'affection syphilitique observée, le genre de la lésion : chancre simple ou induré, plaques muqueuses, syphilides, etc. ; de manière à pouvoir, non-seulement comparer les symptômes qui existent et chez les victimes et chez l'inculpé, mais encore préciser autant que possible, par la date de la maladie, celle du crime qui en est l'origine. Je me permettrai, à cet égard, de m'élever de toutes mes forces contre une proposition émise à la fois par M. Devergie et par Orfila, et que je n'hésite pas à déclarer absolument erronée. Suivant ces deux auteurs, on n'aurait à constater, dans les cas de viol compliqués de maladie vénérienne communiquée, que des accidents primitifs. Ceux-ci même ne pourraient que fort rarement concourir à prouver le viol, « parce que, « dit Orfila, les symptômes vénériens ne se manifestent or- « dinairement qu'après le troisième jour, et qu'alors, le plus

« souvent, il ne reste plus de traces de meurtrissures géni-
« tales. » Il y a là une confusion qu'il importe essentiellement de faire disparaître. Les signes fournis par la syphilis communiquée sont tout à fait indépendants de ceux qui résultent des désordres locaux que les violences directes peuvent produire sur les organes sexuels. Il faut donc, dans tous les cas, constater l'existence des accidents syphilitiques, avec tous leurs caractères. Mais, en outre, il n'est pas exact de dire que les symptômes vénériens résultant d'un viol ne se déclarent qu'après plusieurs jours. La déchirure qui s'est opérée dans ces actes violents et criminels favorise l'inoculation et abrége d'une manière considérable le temps de l'incubation ; de telle sorte que, même à une très-petite distance de l'époque du viol infectant, on peut trouver les traces de la maladie communiquée.

En résumé, à quelque époque que l'on procède à la visite et à l'examen d'une personne qui a été victime d'un attentat à la pudeur ou d'un viol, l'existence des symptômes syphilitiques, leur forme, leur date, leur siége, peuvent fournir des signes très-précieux, et souvent même décisifs, pour la solution des questions médico-légales, si complexes et si délicates, que soulèvent les cas de cette nature.

Des taches que l'on rencontre sur les linges et sur les vêtements dans le cas d'attentat à la pudeur et de viol. — Différentes espèces de taches peuvent se produire pendant l'accomplissement et à la suite des actes qui constituent le viol ou l'attentat à la pudeur.

La déchirure ou l'érosion des parties donne lieu à l'écoulement d'une certaine quantité de sang ; l'excitation des sens, qui est le mobile et le but de ces crimes, provoque l'émission de la liqueur séminale ; enfin, parmi les accidents consécutifs aux attentats à la pudeur, on a vu combien était fréquente la sécrétion d'une matière mucoso-purulente à la surface des organes sexuels.

Ces différentes humeurs peuvent se déposer sur les linges et les vêtements que portent la victime et le coupable, et y laissent des taches de forme, de nature et d'aspect divers, qui constituent des traces visibles et, dans bien des cas, tout à fait caractéristiques. Nous nous étendrons sur les moyens de reconnaître avec certitude ces taches de sang, de sperme, ou de matière purulente, lorsque se présenteront, dans cette étude, les questions qui se rapportent à ce point spécial. Qu'il suffise, quant à présent, de signaler leur mode de production et leur existence assez fréquente. Ce qu'on a dit du siége particulier qu'affecterait chaque espèce de tache ne saurait être accepté comme vrai. M. Devergie, qui a prétendu que l'on trouvait, sur le devant de la chemise d'une femme violée, les taches de sperme, et, sur le derrière, des taches de sang, a évidemment beaucoup trop généralisé certains faits particuliers, et n'a pas assez considéré les circonstances, si nombreuses et si variées, qui, telles que les hasards de la lutte, les efforts de résistance et d'autres causes encore, peuvent changer la position respective des parties, et faire tomber, sur des points très-différents, les souillures, dont il importe moins de constater la situation que de reconnaître exactement l'origine et la nature.

DE L'INCULPÉ DANS LES CAS DE VIOL OU D'ATTENTAT A LA PUDEUR.

Il arrive trop souvent que l'expert appelé à éclairer la justice, dans les cas de viol et d'attentat à la pudeur, ait à examiner les inculpés et à se prononcer sur des faits qui les concernent, pour que l'on puisse se dispenser de faire entrer dans cette étude les renseignements particuliers qu'il peut être intéressant de recueillir, relativement à leur personne et à leur état physique.

L'âge de ceux qui se rendent coupables de pareils crimes

est extrêmement variable. Si les enfants des deux sexes peuvent se livrer entre eux à des attouchements et à des actes impudiques, il n'est malheureusement pas plus rare de voir des vieillards, des septuagénaires, se porter sur de petites filles aux plus honteux attentats. Tous les âges paraissent donc fournir leur contingent à cette partie de la statistique criminelle.

Ce qui est plus triste encore, c'est de voir que les liens du sang, loin d'opposer une barrière à ces coupables entraînements, ne servent trop souvent qu'à les favoriser. Des pères abusent de leurs filles, des frères de leurs sœurs. Les hommes mariés figurent en nombre presque égal à celui des célibataires dans les tables de la justice pour des crimes commis sur des adultes, et donnent un chiffre tout à fait égal pour ceux qui sont commis sur des enfants : 66 célibataires sur 100 accusés dans le premier cas, 50 sur 100 dans le second.

L'examen que l'on a à faire subir à l'inculpé peut porter sur l'état mental ; mais le plus ordinairement, et c'est là le seul cas qui doive nous occuper ici, il a pour objet sa conformation physique.

Tantôt il y a lieu d'apprécier le degré de force dont il est doué, afin d'apprécier la résistance qu'il a pu vaincre ; tantôt la forme et le volume du membre viril pour reconnaître jusqu'à quel point il est proportionné aux dimensions des organes de sa victime, et jusqu'où ont pu être portés les désordres résultant de l'intromission.

Dans d'autres cas, c'est sur un vice de conformation particulier que l'attention doit se fixer. En effet, quelques inculpés cherchent à détourner l'accusation qui les menace en alléguant quelque disposition physique qui les rend incapables de commettre les actes qui leur sont reprochés. Les uns ne craignent pas d'invoquer, à ce titre, de simples hernies ; j'en ai vu présenter pour se disculper un hypospadias ou l'absence d'un testicule dans les bourses. Il n'est pas nécessaire de faire remarquer qu'aucun de ces vices de conformation ne peut, en aucun cas, être admis comme inconciliable avec les actes d'attentat ou de violences que la lubricité peut inspirer même à l'impuissance.

Il est encore un point de vue auquel ces particularités de la conformation peuvent offrir de l'intérêt, de même que certains signes individuels remarqués par les victimes de l'attentat ou du viol, au moment de la consommation du crime. On comprend qu'ils peuvent, dans certains cas, constituer de véritables signes d'identité et servir de contrôle aux déclarations accusatrices. C'est à l'expert qu'est confié le soin de les rechercher; et je me contenterai de citer un exemple : une tumeur érectile en forme de fraise située audessous des bourses, et une disposition singulière des poils du pubis enroulés en boucles sur les côtés et rasés au milieu, faits observés par moi-même chez deux individus dénoncés comme coupables de viol par deux jeunes filles, qui invoquaient à l'appui de leur témoignage ces signes surpris par elles dans les parties les plus secrètes.

Il ne faut pas omettre de signaler les traces de rixe ou de lutte, contusions, coups d'ongles, morsures, qui peuvent exister sur les diverses parties du corps de l'inculpé, et notamment sur les mains, au visage et aux parties sexuelles, où l'instinct de la résistance peut diriger les coups de la victime qui se défend.

Enfin l'examen complet auquel on doit le soumettre permettra de recueillir les indices importants qui résulteraient de l'existence d'une maladie communicable, dont on retrouverait ou dont il resterait à rechercher l'analogie sur la personne qui prétendrait avoir été l'objet de violences criminelles. Certaines affections de la peau, des végétations, des parasites, la blennorrhagie, la syphilis et ses formes variées, sont les plus fréquentes de ces affections et celles qu'il importe le plus de constater avec soin dans l'examen que doit subir l'inculpé sur lequel pèse une accusation de viol ou d'attentat à la pudeur.

ATTENTAT COMMIS PAR DES FEMMES SUR DE PETITS GARÇONS.

Tout ce qui vient d'être dit s'applique aux actes de violence commis par des hommes sur des personnes du sexe féminin, qui semblent les seuls que l'on puisse ou que l'on doive prévoir. Il y a cependant des exemples d'attentats commis par des femmes sur de jeunes garçons ; et ces faits, quelque exceptionnels qu'ils puissent paraître, ne doivent pas moins trouver place dans cette étude. J'en ai recueilli six, dont un cité par M. Devergie (1), trois consignés dans les *Annales d'hygiène* (2), et deux observés par moi.

Dans tous les cas, il s'agissait d'enfants de onze à treize ans que des femmes de dix-huit à trente ans avaient dressés à la débauche par des attouchements répétés et même initiés à un commerce sexuel. Ces jeunes garçons présentaient tous les signes d'une fatigue générale excessive due à ces excès prématurés. Leur figure était pâle, leurs yeux cernés, la peau chaude et sèche, le pouls accéléré, le ventre douloureux et tendu, les aines gonflées et sensibles, les cuisses et les jambes brisées ; les parties sexuelles très-développées, le pénis long et demi-turgescent, le gland facilement découvert, l'ouverture de l'urèthre rouge et enflammée, parfois humectée par un suintement muqueux d'un blanc grisâtre ; les bourses flasques et le cordon très-douloureux. Deux d'entre eux étaient infectés de la syphilis.

Ce genre d'attentats exige, comme les autres, que l'inculpée soit sévèrement examinée ; et, bien que le sexe diffère, l'expert doit être guidé par les mêmes principes dans

(1) *Loc. cit.*
(2) T. XXXVII, p. 162.

ces visites où les constatations à faire sont la plupart du temps les mêmes, et consistent tantôt dans l'existence de la maladie vénérienne, tantôt dans la présence d'un signe particulier propre à établir l'identité et à confirmer les rapports des jeunes victimes, j'ai vu, par exemple, dénoncer ainsi une cicatrice du sein. Tantôt enfin un vice de conformation, tel qu'un rétrécissement très-notable du vagin, qui ne permettant pas des rapports sexuels complets avec un adulte, explique sans les excuser les séductions criminelles exercées sur des enfants par une femme débauchée.

DES QUESTIONS MÉDICO-LÉGALES QUI PEUVENT SE PRÉSENTER DANS LES CAS DE VIOLS OU D'ATTENTATS A LA PUDEUR.

Ce serait donner une idée fort incomplète et surtout très-peu pratique du sujet qui nous occupe que de se borner à l'exposé qui précède et de se contenter d'avoir analysé les signes ordinaires de l'attentat à la pudeur et du viol. Il faut, si l'on veut tirer quelque profit de cette étude, pénétrer plus avant et montrer dans quels termes se posent devant la justice et devant l'expert les questions médico-légales que suscite la poursuite des crimes de ce genre et comment elles peuvent être le plus souvent résolues. Cela est d'autant plus important que ces questions, qui sont en réalité très-nombreuses, ne sont pour la plupart pas même énoncées dans les auteurs. Orfila en pose sept, Briand et Chaudé quatre seulement, Fodéré dix ; nous en indiquerons jusqu'à vingt-quatre, sans avoir la prétention de limiter le chiffre de celles qui pourront surgir chaque jour dans tel ou tel cas particulier. En effet, il ne faut pas perdre de vue qu'il ne s'agit pas ici de déduire des faits quelques principes ou quelques règles scientifiques, mais d'enregistrer simplement les questions, qui, nées d'une manière plus ou moins fortuite dans le cours de l'enquête judiciaire ou des débats, constituent les éléments d'appréciation et de jugement que la science a la mission de contrôler, qu'il n'est pas en son pouvoir de supprimer et qu'il aurait le plus grand tort de négliger. On ne devra ni s'étonner ni se rebuter, si quelques-unes de ces questions paraissent peu sérieuses et presque indignes de discussion ; en les considérant au point de vue que nous venons d'indiquer, et qui est véritablement celui du médecin légiste, on n'aura pas à craindre de faire fausse route, et l'on comprendra qu'il n'en est aucune qui n'offre un réel intérêt et qui ne mérite l'attention de ceux qui voudront se préparer aux difficiles fonctions d'expert.

Je crois devoir, avant d'aborder l'examen de ces diverses questions, ajouter ici quelques conseils sur la marche qui me paraît la meilleure à suivre dans la rédaction des rapports et des conclusions relatifs à des affaires d'attentat à la pudeur. Je n'ai nullement la prétention d'imposer à mes confrères une conduite dont leur conscience doit rester seule juge, mais je crois pouvoir leur recommander, comme un précepte dont l'expérience m'a bien des fois démontré la justesse, d'éviter de consigner dans leurs rapports les récits et les déclarations que ne manquent jamais de faire à l'expert les parties intéressées ; le médecin, qui n'a aucun moyen de vérifier la sincérité de ces allégations, aura toujours une position beaucoup plus nette et beaucoup plus assurée s'il se contente d'exposer les faits matériels qu'il peut constater par lui-même. Il doit aussi se défendre de laisser paraître dans ses rapports écrits ou dans ses dépositions les impressions morales qu'il a pu ressentir. Le moindre inconvénient serait de transformer le rôle de l'expert en celui de témoin, et d'amoindrir l'autorité de l'un, sans inspirer pour l'autre une grande confiance. Enfin, dans les conclusions qui doivent à la fin de chaque rapport en résumer les points principaux et essentiels, s'il convient d'exprimer avec netteté l'opinion qui se fonde sur des signes positifs, il importe non moins essentiellement à la vérité et à la justice de ne pas se contenter d'énoncer des signes négatifs lorsque les faits ont pu avoir lieu sans laisser de traces ; il faut alors, pour être complétement vrai, indiquer au moins la possibilité du fait même en l'absence des signes positifs qui motiveraient des conclusions plus formelles.

Dans l'examen successif que je vais faire des vingt-quatre questions que j'ai vues se présenter dans les cas de viol ou d'attentats à la pudeur, je m'efforcerai d'être bref et d'éviter autant que possible les redites en mettant à profit les longs développements dans lesquels je suis entré précédemment sur l'histoire générale et les signes particuliers des attentats à la pudeur et du viol.

1° Existe-t-il des traces d'un attentat ? — La solution de cette première question se trouve tout entière dans les détails que nous avons déjà donnés sur les signes caractéristiques de l'attentat, notamment l'irritation de la vulve, l'inflammation aiguë plus ou moins violente des parties extérieures de la génération.

Mais il ne faut pas se contenter d'indiquer qu'il existe des traces d'un attentat : il faut rechercher s'il est ancien ou récent; s'il est le fait d'une violence isolée ou d'actes répétés. Les caractères de l'inflammation, l'acuïté plus ou moins grande, la consistance plus ou moins épaisse et la couleur plus ou moins foncée de l'écoulement, permettront de distinguer approximativement à quelle époque remonte l'attentat. Quant à la répétition des actes, il suffira de rappeler la valeur considérable du signe fourni chez les petites filles par la déformation infundibuliforme de la vulve. C'est là l'indice certain d'attentats répétés, parfois même de tentatives habituelles constituant une sorte de commerce sexuel établi. On ne saurait trop insister sur ce point. Il faut noter aussi les lésions que l'on peut rencontrer du côté de la bouche et de l'anus.

2° **Les désordres peuvent-ils être attribués à des attouchements personnels, à de mauvaises habitudes?** — Il ne suffit pas d'avoir constaté les lésions inflammatoires ou la déformation des parties sexuelles, il faut établir que ces désordres ne tiennent pas à d'autres causes que les violences criminelles; et parmi ces causes il n'en est pas de plus souvent invoquées, et il faut le dire de plus légitimement suspectées, que les habitudes d'onanisme. Il faut donc s'attacher à reconnaître les traces que ce vice laisse ordinairement. Or, sans être absolus, les caractères de la masturbation chez les petites filles ne laissent pas d'être suffisamment tranchés et de se distinguer de l'irritation et des changements de forme déterminés dans les parties sexuelles par les attentats à la pudeur.

L'onanisme invétéré s'accompagne le plus souvent d'une rougeur livide de la membrane muqueuse vulvaire et des bords de l'hymen avec écoulement séreux très-pâle, lésions tout à fait différentes qui caractérisent l'inflammation suraiguë produite par les violences de l'attentat à la pudeur. L'ouverture de l'hymen est notablement élargie. Mais il n'y a pas enfoncement infundibuliforme de ces parties; ce qui s'explique aisément par la différence de volume du doigt chez l'enfant et du membre viril, et aussi par l'effort très-différent qu'exige l'introduction de l'un et la tentative d'intromission de l'autre. Le clitoris, généralement plus volumineux et turgescent, l'élongation quelquefois considérable et la flaccidité des petites lèvres, ajoutent des signes de plus qui, pour n'être pas constants, ont cependant leur valeur.

Je n'entends pas parler ici de ces vices de conformation tout à fait insolites, dont Parent-Duchâtelet a justement signalé la rareté même chez les prostituées (1), mais j'insiste sur ce que présentent de vraiment caractéristique chez les petites

(1) *De la prostitution dans la ville de Paris*, Paris, 1857, t. I, p. 208.

filles le développement exagéré du clitoris, et surtout la facilité avec laquelle cet organe se gonfle par la moindre excitation, ainsi que l'allongement des petites lèvres, et une flétrissure de ces parties qui contraste avec l'aspect qu'elles offrent ordinairement à cet âge.

On le voit, l'expert n'est pas dépourvu de moyens de reconnaître si les lésions ou les déformations des organes génitaux sont le fait d'un attentat ou de mauvaises habitudes. Mais il ne doit pas oublier que ces deux circonstances peuvent se trouver souvent réunies chez la même personne, et redoubler d'attention pour saisir les signes complexes que lui fourniront, d'une part, la violence et l'acuïté d'une inflammation récente, et, d'une autre part, l'aspect et la conformation des parties sexuelles.

3° **L'écoulement constaté a-t-il été communiqué ?** — Nous avons fait déjà pressentir les difficultés qui pouvaient naître de la multiplicité des causes auxquelles sont dus les écoulements fréquents observés chez les petites filles, et nous n'avons ici, après avoir posé la question, qu'à résumer rapidement les moyens que nous avons donnés de la résoudre. Le point capital est de décider si l'écoulement vulvaire constaté sur la victime supposée d'un attentat à la pudeur, a pu lui être communiqué par le contact de l'inculpé atteint lui-même d'une maladie analogue.

J'ai dit, et je rappellerai ici, que s'il n'existe pas de signe différentiel spécifique de l'inflammation simple de la vulve et de l'écoulement blennorrhagique, il est une particularité à laquelle il est permis d'attacher une réelle importance, et qui consiste dans la turgescence excessive des vaisseaux répandus à l'entrée de la vulve et du vagin, et dans le siége particulier de l'écoulement par l'urèthre, signes auxquels il faut joindre l'extrême acuïté de l'inflammation, la violence et la consistance purulente de l'écoulement.

Dans le plus grand nombre des cas, il faut se garder de se prononcer d'une manière absolue sur le point de savoir si l'écoulement a été communiqué ; et, tout en faisant ressortir avec force les probabilités, ne pas prétendre à la certitude.

4° **Y a-t-il défloration ?** — Il semble que cette question, qui dépend d'une simple constatation matérielle, doive être facile à résoudre; et cependant elle est de celles qui, si l'on en croyait les auteurs, seraient entourées de plus d'obscurité. Mais il y a là une confusion qu'il importe au plus haut degré de dissiper, car elle a chaque jour des conséquences déplorables dans la pratique de la médecine légale.

La défloration est, ainsi que nous l'avons dit, la déchirure de l'hymen; c'est donc sur l'état de cette membrane, sur sa présence ou sur son absence que se fonde le jugement à porter sur la défloration. Mais les auteurs affichent à cet égard un scepticisme outré; Orfila le pousse jusqu'à ce point de prétendre « qu'on ne peut affirmer qu'il y ait « eu défloration, à moins que l'on n'établisse qu'il y a eu ac- « couchement, » ce qui n'est pas seulement un paradoxe dans la forme, mais encore au fond une double erreur. Briand et Chaudé résument l'opinion que nous voulons combattre, en disant « que la présence de l'hymen n'est pas un « signe infaillible de virginité, et que son absence est bien « moins encore une preuve certaine que la virginité n'existe « plus. »

Nous avons dit que l'hymen ne manque pas, quoi qu'on ait pu prétendre, si ce n'est dans des cas tellement exceptionnels qu'il est permis de ne pas en tenir compte; mais l'hymen existant, il n'est pas impossible qu'un ou plusieurs rapprochements sexuels aient eu lieu sans qu'il y ait en réalité défloration. Ce fait est incontestable, et moins que personne je voudrais le nier, car voici, entre plusieurs autres, le fait qu'il m'a été donné d'observer. Un ouvrier marié, dans l'idée de ne pas s'exposer aux charges trop lourdes de la famille, s'était pendant dix ans condamné à n'avoir avec sa femme que des rapports incomplets et en quelque sorte extérieurs. L'hymen refoulé avait toujours résisté, et cependant une grossesse survint. A une époque voisine du terme j'ai pu constater la persistance de la membrane. Des cas analogues ont été cités par tous les accoucheurs. Parent-Duchâtelet a beaucoup contribué à répandre le doute sur la valeur du signe de la virginité en exagérant la fréquence et la portée de certains cas de persistance de l'hymen chez des prostituées (1) ; et les savants auteurs de la troisième édition de son célèbre ouvrage en ont rapporté de nouveaux exemples. Mais là n'est pas suivant moi la question, et je ne crains pas d'affirmer qu'il est permis de donner une appréciation plus saine de la valeur du signe fourni par l'hymen.

Je n'admets pas qu'il soit impossible ni même difficile de décider si l'hymen existe ou s'il n'existe pas. Or, ce premier point résolu, tout n'est pas dit encore. Il faut, dans le cas où la membrane existe, rechercher sous quel aspect elle se présente : si elle est résistante ou fortement tendue au-devant du vagin, si l'ouverture est étroite, il n'y a pas lieu d'admettre l'intromission ; mais si, au contraire, elle est relâchée de manière à ne former qu'un voile flottant à l'entrée du vagin élargi, il est évident qu'elle peut se prêter sans se rompre à une intromission même complète. Dans le cas où l'hymen n'existe plus, il y a à constater que la non-existence est plus apparente que réelle ; quels sont les caractères de la déchirure, la forme des débris, le degré de rétraction des lambeaux, signes qui ne permettent pas de méconnaître l'état réel de cette membrane et la cause de son absence ? Mais, on le voit, dans l'un et l'autre cas il ne

(1) *Loc. cit.*, t. I, . 202.

s'agit que de bien examiner, de constater l'état matériel des parties, et de se livrer sur ce que l'on voit à un diagnostic raisonné. On ne s'en tiendra pas à une énonciation brute en quelque sorte; mais on analysera tous les caractères; et leur valeur, dans chaque cas spécial, se déduira légitimement des circonstances que nous avons rappelées.

Il y a loin de cette manière d'interpréter les faits au scepticisme stérile et funeste contre lequel nous nous efforçons de prémunir nos confrères. J'ai entendu un médecin d'un esprit distingué raconter qu'il avait vu une petite fille avoir l'hymen déchiré par un coup de parapluie, et qu'il se garderait bien de jamais conclure à une défloration criminelle dans la crainte d'attribuer à des violences coupables l'effet d'un coup de parapluie. Sous cette forme peu sérieuse se cache l'opinion irréfléchie et tout aussi légère de la plupart des auteurs. Combien il est préférable de se rattacher aux sages principes si bien exprimés par Fodéré, et que confirment également l'observation et le raisonnement ! Cette intéressante citation résumera et terminera utilement la discussion qui précède : «Voilà donc un signe (l'hymen) qui manque quelquefois na- « turellement; qui peut exister quoique la virginité morale ait « disparu, qui peut avoir été détruit sans qu'il ait jamais été « porté atteinte à la pudeur : en conclurons-nous qu'il n'est « d'aucune utilité au médecin légiste ? *Je suis très-éloigné « de cette pensée*, et je dis que le voile virginal existant dans « le plus grand nombre des cas, son existence ou son absence « méritent toute notre attention, nonobstant les assertions « contraires; à moins que flottant continuellement dans une « incertitude stérile, nous ne voulions rejeter jusqu'aux « moyens les plus constants que la nature nous offre pour « nous éclairer. »

5° **A quelle époque remonte la défloration?** — Aucune question ne présente plus d'importance, car elle a pour objet de préciser l'une des circonstances les plus graves dans les poursuites criminelles, l'une de celles qui, en fixant l'époque du délit, peuvent mettre sur les traces du coupable. Il faut donc, à défaut de signes absolus, réunir toutes les particularités qui peuvent permettre d'approcher le plus possible de la date exacte des faits.

J'ai dit déjà que l'on pouvait reconnaître la défloration récente aux caractères de la plaie de l'hymen et à son degré de cicatrisation, mais qu'il fallait se tenir en garde contre les assertions des auteurs qui restreignent à un temps beaucoup trop court la durée de ce travail morbide qui suit immédiatement la brusque déchirure de la membrane, et que l'on pourrait, en général, en retrouver la trace jusqu'à dix ou douze jours après l'acte accompli ; si l'état des parties sexuelles fait défaut, on peut retrouver quelques indices dans les traces de violences qui existent sur les autres parties du corps, et notamment dans la coloration des ecchymoses.

Quant à la défloration ancienne, si l'on ne peut établir avec certitude l'époque à laquelle elle remonte, on peut du moins donner encore à sa réponse un intérêt réel. En effet, la date du crime étant généralement indiquée par les propres déclarations de la victime, ce qui importe le plus à la justice, c'est d'en contrôler la véracité. Or la science, bien que n'apportant pas une donnée précise, peut parfaitement dire s'il est possible, sinon certain, que la défloration remonte à l'époque indiquée.

C'est ainsi que, sans sortir des limites qui lui sont assignées par sa conscience, l'expert peut fournir encore des lumières que ne donnerait pas une réponse purement négative.

6° **Y a-t-il des signes de débauche habituelle ?** — Ce n'est pas sur des présomptions morales, mais uniquement sur les particularités de la conformation physique prudemment interprétées, que l'expert peut asseoir son jugement sur les habitudes de la jeune fille ou de la femme qui se dit victime de violences.

Il n'est pas toujours facile de se prononcer avec assurance chez une petite fille, bien que le développement prématuré des organes sexuels, leur aspect plus ou moins flétri puissent fournir de précieuses données. Mais chez une femme, et après la défloration, on rencontre des indices plus certains et des signes en quelque sorte anatomiques propres à faire connaître ses habitudes morales. Ces signes sont tirés de l'état des lambeaux déchirés de l'hymen : on se rappelle, en effet, que ceux-ci, après un acte isolé, resteront affrontés et, sans se réunir, se cicatriseront sur place, tandis que, sous l'influence de rapprochements sexuels répétés, ils se rétractent d'une manière plus ou moins complète et jusqu'à formation des caroncules myrtiformes. Ce signe tiré de la non-rétraction des lambeaux a la plus grande valeur à mes yeux. Je l'ai vu ne pas manquer chez une jeune fille devenue enceinte après un seul rapprochement et dans le moment même de la défloration. Examinée par moi au sixième mois de sa grossesse, elle présentait l'ouverture du vagin très-étroite, presque complétement fermée par la membrane hymen divisée dans toute sa hauteur, mais dont les lambeaux, n'ayant subi aucune rétraction, étaient restés accolés l'un à l'autre. Au premier abord la membrane hymen semblait intacte. Quant au vagin, il était lui-même très-peu dilaté et très-rétréci. Il était évident que cette jeune fille n'avait pas eu des rapports fréquents avec des hommes et que la grossesse pouvait, comme elle le déclarait, être le résultat d'une seule approche dans laquelle avait été opérée la défloration. Il est très-important de s'assurer aussi, au point de vue de l'appréciation des habitudes morales de la victime, s'il existerait chez elle des traces d'accouchements antérieurs, et pour cela il faut ne jamais négliger, pendant l'exploration à laquelle la femme est soumise, de constater l'état des parois abdominales que plus d'une s'efforce de dissimuler.

7° La défloration est-elle le résultat de l'intromission du membre viril ou d'attouchements forcés, d'accidents et de maladies ? — M. Devergie fait très à tort un reproche à Orfila de poser cette question, car elle est de celles que la justice ne peut manquer de soumettre à l'expert, et que celui-ci doit prévoir. Du reste, l'auteur que nous venons de citer n'a pas échappé lui-même à cette nécessité, et a donné l'indication des causes capables d'opérer la défloration. Il est incontestable, en effet, que la déchirure de l'hymen peut, dans certaines circonstances exceptionnelles, être produite par d'autres causes qu'un rapprochement sexuel. Celles-ci cependant sont fort rares, et je n'accepte pas la plupart de celles que les auteurs admettent avec une beaucoup trop grande facilité. Il suffira de les énumérer pour faire apprécier leur valeur.

L'onanisme et l'introduction de corps étrangers, auxquels on affecte si souvent d'attribuer dans les débats judiciaires la destruction de la membrane hymen, n'ont pas, en général, un semblable résultat. Il peut bien se faire, et on ne le voit que trop, que les habitudes vicieuses amènent l'élargissement du vagin et le relâchement de l'hymen ; mais on ne rencontre pas, à la suite d'attouchements personnels, ces déchirures violentes et profondes qui caractérisent la défloration. Fodéré en a très-judicieusement donné la raison : « Il n'est guère présumable que la personne même se soit permis ces introductions contre nature assez forcément pour causer ces déchirements, qui sont toujours plus ou moins douloureux. »

Les accidents que peuvent déterminer l'exercice du cheval, un saut violent, une chute, des blessures, sont bien moins encore capables de laisser dans les parties sexuelles des traces analogues à la défloration. En effet, sans parler de l'équitation, des courses ou des marches forcées, il est certain que certaines chutes sur des corps aigus et tranchants, certaines blessures dirigées sur les organes génitaux, peuvent intéresser la membrane hymen ; mais de semblables lésions portent avec elles le caractère de leur origine, et diffèrent trop complétement, par leur siége, par leur forme, par leur étendue, de la rupture simple de l'hymen, indice de l'intromission du membre viril, pour qu'il soit facile de les confondre.

Il est toutefois un genre de blessures qui appelle surtout l'attention en raison de la nature particulière et de la cause des désordres dont les parties sexuelles peuvent être le siége. Au milieu des violences criminelles dont une femme peut être l'objet, des brutalités autres que l'approche sexuelle peuvent avoir pour effet la perforation de l'hymen sans tentatives d'intromission. C'est ce qu'a très-bien vu M. Toulmouche (1), lorsqu'il a fait remarquer que, dans les campagnes, souvent l'introduction « brutale des doigts déchirait l'hymen et la fourchette. » J'en ai vu un exemple très-singulier : l'hymen avait été, par une circonstance semblable, non pas déchiré dans toute sa hauteur, de son bord libre à sa base, mais perforée tout à fait en arrière, de telle sorte que, réduite à une bandelette étroite, tendue transversalement au-devant du vagin, elle en partageait l'ouverture en deux. (*Pl. II, fig.* 5.)

Ce que j'ai dit des blessures accidentelles considérées comme cause de la défloration, je le répéterai avec plus de force encore pour les maladies locales, auxquelles on a cru pouvoir imputer la destruction de l'hymen. Que penser, par exemple, de l'expulsion brusque d'un caillot

(1) *Loc. cit.*

sanguin, ou de l'action d'une humeur âcre et irritante dont parle M. Devergie comme pouvant détruire l'hymen ? Je ne connais qu'un chancre placé sur cette membrane, ou une dartre rongeante, ou une gangrène de la vulve, qui puisse léser assez profondément les parties pour détruire l'hymen, mais dans ce cas l'étendue des désordres et les caractères spécifiques du mal ne pourraient laisser place au doute. Il est vraiment regrettable d'avoir à discuter de pareilles hypothèses qui, malheureusement reproduites dans presque tous les ouvrages, ne contribuent pas peu à entretenir la médecine légale dans une voie funeste, aussi éloignée de la véritable science que de la saine pratique.

En résumant les éléments de solution de la question qui nous occupe, nous conseillons, pour éviter de trancher une difficulté réelle, de mettre toujours dans les conclusions qui ont trait à ce point une grande réserve, et de les formuler en disant non pas que la défloration est le résultat de l'intromission du membre viril, mais qu'elle est la conséquence de l'introduction plus ou moins violente et complète d'un corps volumineux et dur comme le membre viril. Cette formule ne s'oppose pas à ce que l'on apprécie les circonstances diverses qui permettent d'éliminer les causes accidentelles de déchirures de l'hymen, d'ailleurs fort rares, dont nous venons de signaler les caractères.

8° **Existe-t-il des traces de violence autres que la défloration ?** — On sait que les différentes parties du corps peuvent avoir été atteintes dans la lutte qui accompagne et qui constitue souvent le viol. Il y a lieu de porter une attention particulière sur les parties qui sont le plus souvent exposées aux violences, telles que la face, le cou, la poitrine, les bras, les cuisses, les reins, sans omettre d'examiner toute la surface du corps. De plus, quand on aura constaté exactement la nature et le signe des lésions qui caractérisent la violence, il faut s'efforcer de préciser les faits en cherchant dans la forme et la direction des blessures des indices propres à faire connaître la position du coupable et les diverses particularités du crime, ou encore en en fixant la date d'après la coloration et l'aspect des ecchymoses.

9° **La mort est-elle le fait du viol?** — Il n'est pas inutile de rappeler que la mort est très-rarement la conséquence directe du viol; aussi est-ce un devoir pour l'expert d'apporter un soin tout particulier à établir, d'après des faits certains, la cause réelle de la mort. Les troubles nerveux, les affections convulsives, qui peuvent, à la suite des violences criminelles, se terminer d'une manière funeste, ne laissent souvent après eux que des lésions secondaires et incertaines. D'un autre côté, les désordres locaux, qui peuvent exister du côté des organes génitaux, réclament une appréciation sévère, que saura faire l'expert consciencieux et éclairé. Cependant, que les résultats fournis par l'autopsie cadavérique soient positifs ou négatifs, il n'en faudra pas moins tenir grand compte de la nature et de la marche des symptômes et des troubles divers qui auront suivi immédiatement l'acte de violence, et précédé la mort.

10° **Le meurtre a-t-il été précédé de viol?** — Lorsque l'assassinat vient terminer les scènes de violence auxquelles la femme a été exposée, c'est le meurtre qui attire avant tout l'attention, et les traces du viol peuvent être obscurcies ou même effacées par celles de l'assassinat. Mais dans ce cas même, outre la considération très-importante de la position dans laquelle on a trouvé le cadavre, il est une recherche indispensable qui consiste, non-seulement dans la constatation des désordres qui peuvent exister à l'extérieur des parties sexuelles, mais dans l'examen des liquides contenus à l'intérieur du vagin et de l'utérus, de manière à y retrouver la présence du sperme dans ces organes.

Mais il importe de se garder de conclure à la légère, et, comme je l'ai vu faire trop souvent, d'après la seule apparence de l'humeur extraite de ces parties. Il ne faut pas oublier que le microscope seul peut fournir la preuve certaine de l'existence des spermatozoïdes. Cet examen est d'autant plus intéressant, qu'il peut être tenté avec fruit assez longtemps encore après l'époque où le crime a eu lieu. En effet, les spermatozoïdes résistent avec une grande énergie dans le mucus vaginal et utérin, et l'on a pu en retrouver doués de mouvement, après huit jours, dans la cavité de l'utérus, tandis qu'isolés dans un tube de verre, ils cessent de se mouvoir au bout de vingt-quatre ou quarante-huit heures.

Il est bon toutefois de faire remarquer que de l'absence de zoospermes, même au microscope, il ne faudrait pas conclure absolument que le viol n'a pas eu lieu. Trop de circonstances peuvent empêcher la pénétration du sperme ou en provoquer l'expulsion, pour qu'on attache une importance décisive à son absence. Si donc la présence de la liqueur séminale peut démontrer que le viol a précédé le meurtre, le double crime peut n'avoir pas moins été commis, alors même que ce signe vient à manquer.

11° Une femme peut-elle être déflorée ou violée sans le savoir? — Cette question est de celles que l'on ne peut résoudre d'une manière absolue dans un sens ou dans l'autre, et qui, en raison même de ce qu'elle offre de délicat, exige des développements et des distinctions importantes. Les circonstances, très-complexes, dans lesquelles peut s'accomplir le crime de viol, ont pu donner lieu à des faits en apparence très-singuliers et très-extraordinaires, sur lesquels les lumières de l'expert sont très-souvent invoquées, sinon dans le cours de l'instruction judiciaire, plus fréquemment du moins au moment des débats, et sur quelques interpellations provoquées par un incident d'audience.

Ce n'est pas dans les cas de violences commises sur de petites filles, mais presque exclusivement sur de jeunes personnes nubiles ou sur des femmes faites, que peut se présenter la question de savoir si la défloration ou le viol peuvent être consommés à l'insu de la femme.

L'ignorance de celle-ci ne peut être raisonnablement admise que dans certaines conditions physiques ou morales capables d'enlever à la femme le libre exercice de ses sens, tels que le sommeil, le narcotisme, le magnétisme, un état nerveux particulier ; ou capables d'anéantir la conscience et la mémoire, comme l'idiotisme, l'imbécillité, la folie; ou encore dans certaines conditions qui constituent une véritable infirmité à la fois physique et morale, comme la surdi-mutité.

Le sommeil naturel, quelque profond qu'il soit, ne peut certainement pas permettre la défloration, c'est-à-dire une première approche qu'accompagne toujours un certain degré de violence et de douleur. Mais s'il s'agissait d'un acte consommé sur une femme endormie, déjà habituée au commerce sexuel, il n'est pas impossible d'admettre que les faits aient pu se passer à son insu.

Ce qui peut rester douteux, ou être considéré comme inadmissible pour le sommeil naturel, cesse de l'être pour le sommeil artificiel que constitue le narcotisme. Mais il y a là pour l'expert une source de difficultés nouvelles ; car, pour reconnaître après coup l'action d'un narcotique, il est réduit à s'aider d'indices incertains, tirés des caractères mêmes du sommeil. Il faut rapprocher de ces faits l'insensibilité produite par le chloroforme et certains états morbides, tels que la catalepsie, qui livrent une femme, sans volonté et sans défense, à toutes les entreprises criminelles. On sait d'ailleurs que les fastes judiciaires de ces dernières années ont offert des exemples de semblables violences commises, à l'aide de l'anasthésie, par des hommes assez indignes pour abuser de leur profession, à l'égard de femmes confiées à leurs soins.

A l'influence du sommeil naturel, des narcotiques et des anesthésiques, faut-il ajouter encore celle du magnétisme? Un fait récent a soulevé cette question nouvelle et a été l'occasion d'un rapport très-digne d'intérêt, demandé par la justice à MM. Coste, directeur de l'École de médecine de Marseille, et Broquier, chirurgien de l'Hôtel-Dieu de cette ville. On nous saura gré de citer ici même cette observation curieuse (1), qui a sa place marquée dans cette étude :

« La jeune Marguerite A., âgée de dix-huit ans, se croyant malade, se fit conduire par sa plus jeune sœur, dans le courant du mois de novembre dernier, chez le nommé C..., exerçant à Marseille, à ce qu'il paraît, la profession de guérisseur par le magnétisme. Chaque jour elle allait prendre sa séance. Vers le commencement d'avril, s'étant aperçue qu'elle était enceinte, elle porta plainte à l'autorité; et c'est alors que M. le commissaire de police nous commit tous deux « à l'effet de constater la grossesse et l'époque à laquelle « elle pouvait remonter, et en second lieu de répondre à la « question de savoir si la jeune Marguerite A... avait pu être « déflorée et rendue mère contrairement à sa volonté, c'est-« à-dire si cette volonté avait pu être annihilée complétement « ou en partie par l'effet du magnétisme. » Nous ne reproduirons que la partie du Rapport relative à la deuxième question, à savoir : si la jeune Marguerite A. a pu être déflorée sans le savoir, par suite de l'effet du magnétisme.

« Cette question touche un point tout à fait neuf de la médecine légale ; car, si cette science est aujourd'hui fixée à cet égard pour ce qui est de l'emploi des narcotiques, de l'éther et du chloroforme, nous ne pensons pas qu'elle ait jamais abordé le magnétisme à ce point de vue. Malgré cela, et sauf toutes réserves, nous croyons qu'il nous est possible de résoudre cette question, sans nous en tenir à des appréciations

(1) *Presse médicale de Marseille*, citée par la Gazette des hôpitaux, 1858, n° 106.

personnelles, mais bien d'après des documents scientifiques, les seuls qui doivent et puissent entrer ici en ligne de compte. Ces documents, nous les trouvons dans le Rapport de M. Husson, fait en 1831 à l'Académie de médecine, au nom d'une commission composée de MM. Double, Magendie, Guersant, Guéneau de Mussy, Husson (1), etc. Ces noms suffisent pour donner à ce Rapport toutes les garanties scientifiques de vérité et d'authenticité que l'on serait en droit d'exiger. Et, du reste, ce Rapport est et demeure encore aujourd'hui le seul monument scientifique que possède le magnétisme.

« Dans les conclusions de ce Rapport, nous trouvons : « Le « sommeil est un effet réel du magnétisme... Il s'opère des « changements plus ou moins remarquables dans les per- « ceptions et les facultés des individus magnétisés ; la plupart « du temps, ils sont complétement étrangers au bruit exté- « rieur et inopiné fait à leur oreille, tel que le retentissement « d'un vase de cuivre frappé près d'eux... L'odorat est comme « anéanti ; on peut leur faire sentir l'acide muriatique ou « l'ammoniaque sans qu'ils s'en doutent ; la plupart sont com- « plétement insensibles : on a pu leur chatouiller les pieds, « les narines et l'angle des yeux par l'approche d'une plume, « leur pincer la peau, la piquer sous l'ongle avec des aiguilles « enfoncées profondément et à l'improviste, sans qu'ils aient « témoigné de la douleur, sans qu'ils s'en soient aperçus ; « enfin on en a vu une qui a été insensible à une des opéra- « tions les plus douloureuses de la chirurgie, et dont ni le « visage, ni le pouls, ni la respiration, n'ont dénoté la plus « légère émotion... Les forces musculaires des somnambules « sont quelquefois paralysées ; à leur réveil, ils disent avoir « oublié totalement toutes les circonstances de l'état de som- « nambulisme, et ne s'en ressouvenir jamais (2). »

(1) Voyez Burdin et Fr. Dubois, *Histoire académique du Magnétisme animal*, Paris, 1841, p. 333.

(2) *Loc. cit.*, p. 439, 442.

« D'après tous ces faits, si une jeune fille, sous l'influence du sommeil magnétique, est insensible à toutes les tortures, il nous semble qu'il est rationnel d'admettre qu'elle pourra subir l'acte du coït sans qu'il y ait participation de sa volonté, sans qu'elle en ait conscience, et que par conséquent elle ne saurait repousser par la force l'acte qui est consommé sur elle.

« Les savants experts de Marseille concluent, en conséquence, que : 1° la fille Marguerite A. est enceinte; 2° sa grossesse ne remonte pas au delà de quatre mois à quatre mois et demi; 3° nous pensons qu'il est possible qu'une jeune fille soit déflorée et rendue mère contrairement à sa volonté, celle-ci pouvant être annihilée par l'effet magnétique. »

M. Devergie, dont MM. Coste et Broquier avaient désiré connaître l'opinion sur ce cas délicat, leur répondit :

« Je crois qu'une fille de dix-huit ans peut, *en thèse générale*, avoir été déflorée et rendue mère contrairement à sa volonté, dans le sommeil magnétique. Ceci est une affaire d'observation et de sentiment personnel. Mais en dehors du sommeil magnétique il y a tant de mensonge, que je ne saurais aller plus loin. Le sommeil magnétique est fictif ou réel : fictif, en ce sens que toutes les personnes qui donnent des consultations ou des représentations de magnétisme ne sont jamais endormies ; réel, et alors tout rapport, tout sentiment de relation peut être interdit par le sommeil, la sensibilité peut être émoussée et même éteinte, partant la femme dans l'impossibilité de se défendre. »

J'avais reçu moi-même, à l'occasion du même fait, une lettre de M. le docteur Broquier qui me faisait l'honneur de me demander mon avis. J'étais absent de Paris et n'ai pu, à mon grand regret, répondre en temps utile à ce témoignage de confiance ; mais je me serais certainement associé complétement à l'opinion exprimée par M. Devergie, et surtout aux sages réserves qu'il a faites relativement à la possibilité de la feinte et à la probabilité de la fraude en tout ce qui touche aux prétendus effets physiologiques du magnétisme. Quant à ce que ceux-ci peuvent avoir de réel, je crois qu'il n'est guère possible de prendre aujourd'hui pour base d'appréciation, comme l'ont fait les honorables experts de Marseille, les observations contenues dans le Rapport académique de 1831. Ces faits en apparence merveilleux d'insensibilité constatés par les commissaires et acceptés par eux pour des effets magnétiques, seraient bien plus justement à notre époque mis au rang des symptômes les plus constants et les mieux connus de l'hystérie. Mais en laissant de côté ces particularités, il reste un certain nombre de faits, du même ordre par exemple que le somnambulisme, qui me paraissent témoigner en faveur de l'abolition possible de la volonté sous l'influence de ce qu'on appelle le magnétisme.

Mais, dans d'autres circonstances, le défaut de conscience ou de résistance de la femme résulte de sa faiblesse intellectuelle; et c'est là un fait trop commun de voir de pauvres idiotes devenir victimes des brutalités des hommes qui les approchent, de ceux même qui devraient les protéger. Dans ces cas, il appartient à l'expert de rechercher et de constater leur état mental, et cette recherche offre un double intérêt : en premier lieu, elle peut avoir une influence morale évidente sur la culpabilité de l'accusé; et de plus, elle doit servir à contrôler les déclarations de quelques-unes de ces pauvres femmes, qui, malgré leur imbécillité, peuvent néanmoins raconter et faire comprendre les scènes de violence dont la vive impression est restée présente à leur esprit débile, et que leur mémoire parvient à reproduire. J'ai eu, il y a peu de temps, à visiter, à l'hospice de la Salpêtrière, une jeune fille imbécile de seize ans environ, qui avait été en butte à un attentat qui l'avait laissée sous le coup de la plus violente terreur, et dont elle savait fort bien indiquer l'auteur. Elle n'avait recouvré le calme que loin du domicile paternel, et à l'abri de l'asile où elle avait été placée. Les déclarations précises, quoique bornées, de cette pauvre enfant, et les circonstances qui les avaient accompagnées, ne pouvaient laisser de doute sur la conscience fort exacte qu'elle avait de ces faits, et sur la sincérité de son récit. En thèse générale, il est permis d'ajouter sur ce point que l'état d'imbécillité, qui est compatible avec un certain degré d'intelligence et une certaine fidélité de la mémoire, ne le serait pas avec le mensonge habile qu'exige une fable accusatrice inventée dans des vues intéressées.

Les mêmes réflexions peuvent s'appliquer aux violences commises sur des sourdes-muettes, chez lesquelles l'infirmité physique entraîne une si cruelle débilité morale (1).

12° **Une femme peut-elle concevoir par le viol?** — Il suffit actuellement de poser une semblable question pour la résoudre ; mais il n'en a pas toujours été ainsi, et il n'est pas sans intérêt de noter que l'on a pu révoquer en doute la possibilité de la conception par le fait du viol, à une époque où l'on admettait, pour que celle-ci eût lieu, la nécessité d'une certaine participation active des sens de la femme. Il est bon d'ajouter que, pour beaucoup de personnes, cette question serait encore douteuse aujourd'hui, et l'expert en doit être averti.

13° **Un seul homme peut-il violer une femme qui résiste?** — On comprend, sans qu'il soit besoin d'y insister, quelle portée morale peut avoir la solution d'une question semblable, qui implique jusqu'à un certain point la volonté qu'a eue la femme pour résister. Mais l'expert doit bien se

(1) *Relation d'une tentative de viol qui aurait été faite sur une sourde-muette* (*Ann. d'hyg. et de méd. lég.* Paris, 1838, t. XX, p. 94).

garder de se placer à ce point de vue, qui dans aucun cas ne saurait être le sien. Ce qu'il faut faire, c'est d'apprécier le degré de force respective de la victime et de l'inculpé, ou encore les conditions physiques dans lesquelles la première pouvait se trouver ; et, par exemple, la possibilité d'une syncope ou de telle autre circonstance qui aurait pu paralyser momentanément la résistance de la femme. Et cela est très-important à faire connaître, puisque l'accusation pourrait, à défaut de renseignements précis, s'égarer sur plusieurs, quand elle aurait pu n'atteindre qu'un seul. La question ne peut guère être soulevée, quand le crime a été commis sur une petite fille par un adulte qui la maîtrise aisément, mais seulement à l'occasion d'un viol accompli sur une femme : aussi, dans tous les cas, on devra se borner à indiquer le possible, sans poser d'une manière absolue de prétendues impossibilités.

14° **Quelle est la nature de la maladie dont est affectée la victime ?** — C'est là une question de diagnostic que nous avons traitée assez longuement pour n'avoir pas à y revenir de nouveau. Qu'il suffise de rappeler que le médecin expert aura à décrire avec un soin minutieux les lésions qui pourront exister sur les organes génitaux et sur les autres parties du corps, et à déterminer de la manière la plus précise si la femme ou l'enfant, soumise à son examen, est atteinte d'une inflammation simple ou d'une maladie communiquée, en faisant connaître exactement quelle est la nature de celle-ci. Je me contenterai de faire remarquer que le mot de *maladie vénérienne* ou *mal vénérien* pourra être employé d'une manière générique pour désigner toute affection communiquée par un contact impur ; mais qu'il faudra, avec soin, faire comprendre la différence d'origine, de nature et de gravité, qui existe entre la syphilis ou vérole caractérisée, et une affection virulente, non syphilitique, comme la blennorrhagie ou chaude-pisse.

13° A quelle époque cette maladie peut-elle remonter? — Cette question est une des plus graves que l'on puisse être appelé à résoudre; car, en précisant l'époque du crime, elle dirige l'accusation sur tel ou tel individu. Or ce n'est pas trop de toute la science et de toute la sagacité de l'expert pour arriver à une notion exacte ou du moins à une approximation suffisante sur ce point.

Je ne reviendrai pas sur ce qui touche aux caractères de l'inflammation simple, mais pour ce qui est des maladies communiquées, telles que l'écoulement blennorrhagique et la syphilis, il est certains détails qui méritent de fixer l'attention.

La marche de la blennorrhagie aiguë est bien connue, et d'après l'état du méat urinaire, la turgescence, la rougeur et la sensibilité des parties, d'après les caractères de l'écoulement, on peut dire si le mal remonte à quelques jours ou à quelques semaines; et en tenant compte de la durée de l'incubation, si courte parfois chez les petites filles, plus prolongée, au contraire, chez la femme adulte, on peut arriver à déterminer la date, sinon précise, du moins très-probable du crime.

Mais il arrive souvent que l'examen de l'expert n'a lieu que tardivement, à une époque où l'écoulement a pu disparaître, soit sous l'influence d'un traitement, soit spontanément : il devra, dans ce cas, insister sur cette circonstance, et expliquer la signification du résultat négatif de la visite. Il n'est pas rare non plus de voir en cour d'assises deux médecins appelés, l'un au commencement, l'autre à la fin de l'instruction, émettre des avis en apparence contradictoires, celui-ci ayant reconnu un écoulement dont l'autre n'a pas trouvé trace. L'intervalle de temps qui s'est écoulé entre les deux visites rendra compte de cette divergence apparente. Dans un autre cas, un médecin appelé le premier ou le second jour de l'attentat, n'aura pas rencontré d'inflammation ou d'écoulement, tandis que, quelques jours plus tard, ces symptômes auront été manifestement constatés. Le développement plus ou moins tardif du mal expliquera ces contradictions qu'il appartient à l'expert d'éclaircir.

Pour la syphilis, il importe essentiellement de ne pas seulement constater son existence et ses caractères, mais encore sa forme et la phase de son évolution à laquelle elle est parvenue. En effet, c'est une grave erreur de croire, comme l'a dit M. Devergie, que l'on ne peut avoir à constater que des faits de syphilis primitive. L'expérience de chaque jour dément cette assertion beaucoup trop étroite. On peut avoir à reconnaître l'affection syphilitique à toutes ses périodes, car l'accusation et surtout l'examen de l'expert ne suivent pas toujours immédiatement l'accomplissement de l'acte criminel. Mais cette évolution de la syphilis est généralement assez régulière pour qu'il soit permis de se prononcer non plus sur le jour, mais au moins sur l'époque présumée du crime.

16° **Cette maladie peut-elle avoir été communiquée par le simple contact ?** — Nous avons cité un bon nombre de cas dans lesquels une maladie s'était déclarée à la suite d'un attentat non consommé, d'une tentative de viol non suivie de défloration; c'est dire que le plus simple contact opéré sur les parties sexuelles peut suffire pour communiquer une maladie de la nature dont il s'agit, aussi bien un écoulement blennorrhagique qu'un chancre. C'est là une remarque vulgaire, mais qu'il faut se garder d'omettre, car elle a une grande importance dans la pratique, et trouve son application dans une foule de cas particuliers.

17° **Est-elle de même nature chez la victime et chez l'inculpé ?** — En demandant si l'affection constatée chez la victime de l'attentat ou du viol est de même nature que celle qui existe chez l'inculpé, le magistrat instructeur a pour but d'établir un lien matériel plus étroit entre l'une et l'autre, et l'on comprend toute la portée et toute la gravité de la réponse. Aussi ne doit-on pas entendre seulement par la nature de l'affection l'espèce morbide, le nom de la maladie, blennorrhagie ou syphilis.

Il faut, s'il s'agit d'un écoulement, considérer tous les caractères qui peuvent servir à fixer l'époque à laquelle remonte l'écoulement, et surtout celle à laquelle il pouvait être considéré comme communicable. Et alors on pourra conclure non pas à l'identité absolue et à la communauté nécessaire d'origine des deux affections, mais à l'analogie plus ou moins complète, et à la possibilité, à la probabilité même de la contagion.

Il en sera de même pour la syphilis, dont on étudiera et dont on rapprochera chez l'un et chez l'autre individu le siége, la forme et la période d'évolution. Il convient d'insister sur la considération du siége qui peut fournir un signe décisif, soit pour admettre, soit pour repousser l'origine commune des deux maladies observées, suivant, par exemple, qu'un chancre chez l'inculpé existe à droite ou à gauche, de manière à correspondre ou non avec la lésion observée sur la femme.

Enfin des affections d'une autre nature, telles que des végétations, des parasites, pourront par leur seule présence éveiller de justes soupçons de rapprochement. Il faudra pourtant toujours subordonner ceux-ci à la possibilité d'une simple coïncidence, dont il appartiendra à d'autres qu'à l'expert d'apprécier le plus ou moins de vraisemblance et de probabilité.

18° **Les organes de l'inculpé se rapportent-ils à ceux de la victime?** — Je suis loin d'attacher une grande importance à cette question qui repose sur une appréciation fort délicate, souvent impossible, et dont la solution ne pourrait conduire d'ailleurs qu'à un résultat fort secondaire.

Si l'on peut mesurer assez exactement les dimensions ou au moins la facilité d'accès que peuvent offrir les parties sexuelles de la femme, il s'en faut de beaucoup que cela soit aussi facile chez l'homme dont le pénis présente en dehors de l'érection et sous cet état des différences souvent considérables et tout à fait imprévues. Mais en outre, et à moins que la disproportion entre le volume du membre viril et l'étroitesse du vagin ne soit très-marquée, comme il arrive entre un adulte et une petite fille, il faudra se défier beaucoup de ces prétendues difficultés qui ne sont fondées que sur des comparaisons vagues et illusoires. Les cas, dans lesquels, au contraire, l'homme paraîtrait trop grêle pour avoir produit des désordres constatés chez une femme, mériteraient moins de confiance encore ; car c'est moins le volume de l'organe que la violence avec laquelle a lieu l'intromission et la résistance qu'on lui oppose, qui détermine les lésions dont s'accompagne le plus souvent la défloration. Aussi me garderai-je bien de donner comme un modèle le fait souvent cité de Zacchias, se vantant d'avoir soustrait à une accusation de viol un individu dont la gracilité, comparée aux dimensions et à la laxité des parties sexuelles de la prétendue victime, excluait toute idée de violence. Ce n'est pas sur des signes si trompeurs qu'un expert éclairé devrait aujourd'hui fonder son jugement.

19° **Est-ce une opinion accréditée que les maladies vénériennes peuvent guérir par le fait d'un rapprochement sexuel avec une petite fille?** — Il est triste d'avoir à répondre à une question pareille; mais elle m'a été posée tant de fois à moi-même en cour d'assises, et j'ai acquis la certitude qu'un si grand nombre d'attentats commis sur de petites filles n'ont pas d'autre cause, qu'il n'est pas permis de la dédaigner malgré le mépris qu'elle mérite. M. Toulmouche est le seul médecin légiste à qui son importance pratique n'ait pas échappé. M. Battel (1), dans l'article plein d'intérêt qu'il a ajouté à la dernière édition de l'ouvrage de Parent-Duchâtelet, a mentionné, comme une des sources des maladies qui conduisent tant de petites filles à l'hôpital Lourcine, « l'exécrable préjugé malheureusement trop répandu dans la classe populaire, qui se persuade que les approches d'une petite fille en bas âge ont pour effet de guérir de la syphilis l'individu qui en est atteint. » Il n'est que trop vrai, en effet, que beaucoup d'hommes, dont la condition même semblerait devoir repousser de si honteux préjugés, ont la pensée que des maladies vénériennes, et notamment des écoulements rebelles, cèdent au contact de la virginité d'une petite fille. Le médecin, en flétrissant une erreur si inconcevable et si funeste, ne peut laisser ignorer à la justice qu'elle existe, et que la dépravation et l'ignorance l'entretiennent encore dans les classes inférieures.

20° **Un homme peut-il pendant son sommeil et sans en avoir conscience s'approcher d'une femme avec laquelle il est couché?** — Les cas qui peuvent donner naissance à une semblable question sont sans doute fort rares. Mais ils se présentent cependant par suite de cette déplorable promiscuité que la misère n'excuse pas, et qui réunit trop souvent dans le même lit, et sans distinction de sexe, les pères avec les filles, les frères avec les sœurs. J'en ai pour ma part rencontré plus d'un exemple ; le plus récent et le plus remarquable est celui d'une jeune fille de quatorze ans et demi qui couchait habituellement avec ses deux frères âgés, l'un de treize, et l'autre de seize ans, et qui une nuit fut réveillée par la douleur que lui causaient les tentatives impudiques de l'aîné.

(1) *De la prostitution dans la ville de Paris*, 3e édit. Paris, 1857, t. II, p. 49.

Ce jeune garçon, pour toute excuse, invoquait le sommeil dans lequel il était plongé, et l'excitation involontaire qui, dans un songe, avait pu le rapprocher de sa sœur.

Je serais fort tenté de rejeter *à priori*, et d'une manière absolue, une pareille allégation qui ne sera le plus souvent qu'un grossier mensonge. Mais je me rappelle le fait d'un semblable rapprochement de deux époux, dont le témoignage ne pouvait m'être suspect, accompli pendant le sommeil, et assez complétement, pour avoir été suivi d'une grossesse. Et je suis forcé d'admettre, qu'il n'est peut-être pas impossible que les conditions d'excuse, invoquées plus haut, puissent être quelquefois justifiées.

Il convient toutefois de faire une distinction qui permettra, dans le plus grand nombre des cas, de réduire à leur juste valeur les prétentions de l'inculpé qui mettrait en avant l'explication dont il s'agit. C'est que, si pendant le sommeil on peut comprendre la possibilité d'un contact plus ou moins intime ou d'attouchements involontaires, il ne saurait en être ainsi de la défloration qui exigera toujours trop d'efforts pour être attribuée à un homme endormi; et, à plus forte raison, d'autres violences dont les traces s'inscriront comme autant de preuves décisives contre les fausses assertions des prétendus dormeurs.

21° **L'inculpé présente-t-il dans sa conformation physique quelques signes particuliers qui puissent le faire reconnaître?** — J'ai déjà dit, en parlant de l'examen que l'expert pouvait être appelé à faire subir à l'inculpé, qu'il y avait lieu de contrôler parfois les déclarations des petites filles ou des plaignantes touchant certains indices particuliers qui pouvaient servir à faire reconnaître le coupable; et je signalais notamment la présence de cicatrices, de signes cachés dans les parties sexuelles. L'expert ne devra rien négliger pour qu'une exploration complète le mette à même de constater directement l'existence et la nature de ces signes physiques. On comprend, en effet, que, en raison de leur siége et de leur forme spéciale, des taches ou des cicatrices, ou toute autre particularité que l'on retrouverait sur les organes, génitaux d'un individu, ne pourraient avoir été imaginées, surtout par de petites filles, et révéleraient au moins de la part de l'inculpé des manœuvres obscènes. Il importerait, d'un autre côté, de vérifier l'exactitude de la description donnée par les plaignantes.

22° **L'inculpé présente-t-il dans sa conformation physique quelque disposition particulière qui s'oppose à des rapports sexuels?** — Nous n'avons également qu'à rappeler ici ce que nous avons dit des prétentions d'un grand nombre d'inculpés qui allèguent, soit leur âge, soit quelque infirmité, pour se défendre d'actes qui, suivant eux, exigent des passions, un âge et des forces qui leur manquent.

Des hernies plus ou moins volumineuses, un hypospadias, des maladies vénériennes anciennes, ne peuvent à aucun titre, il est à peine besoin de le dire, s'opposer à des rapports sexuels. Mais, d'ailleurs, là n'est pas la question; il ne s'agit pas de rechercher le plus ou moins de réalité et de facilité de rapports sexuels réguliers, mais, dans un grand nombre de cas, la seule possibilité d'attouchements et de manœuvres obscènes auxquels l'impuissance la plus caractérisée ne peut faire obstacle. Nous avons vu un très-grand nombre d'accusations d'attentats à la pudeur atteindre des vieillards presque octogénaires, et quelques-uns dans la décrépitude la plus avancée. Seulement il faut tenir compte du degré de vigueur et de la conformation de l'inculpé, pour apprécier autant que possible s'ils se rapportent à la nature et à l'étendue des désordres constatés chez la victime. Mais, je le répète, on ne saurait trop se défier des allégations intéressées des accusés, car c'est en pareille matière surtout que l'on peut dire qu'il n'est rien d'impossible, même de ce que l'on peut le moins concevoir.

23° **Quelle est la nature des taches trouvées sur les vêtements de la victime et de l'inculpé?**—J'arrive à l'une des questions les plus importantes et les plus fréquemment soumises à l'expert dans les cas d'attentats à la pudeur et de viol. On peut ajouter que, si elle ne présente pas en général de grandes difficultés, elle exige toujours des opérations délicates, qui réclament toute l'attention du médecin ou du chimiste auquel elles sont confiées.

Ces taches, que l'on rencontre le plus souvent sur les vêtements des femmes et des petites filles, mais qui peuvent être exceptionnellement recherchées sur ceux des inculpés, sont formées soit par du sang, soit par la matière d'un écoulement, soit enfin par du sperme. Je ne prétends pas exposer ici d'une manière dogmatique tous les moyens de reconnaître les diverses espèces de taches formées par ces différentes humeurs; je m'en tiendrai aux notions spéciales les plus simples et les plus pratiques sur ce sujet.

La manière de procéder à l'examen des taches comprend l'examen extérieur, c'est-à-dire le siége, la forme, la consistance, la couleur de la portion tachée, et l'étude de la composition du liquide qui a fourni la tache. La description doit être exacte, minutieuse, complète; l'analyse exige que l'on soumette la partie contaminée, préalablement détachée, à certaines opérations, que je ne décrirai en détail que pour les taches de sperme, seul point qui se rattache directement à l'objet spécial de cette étude. Une remarque préliminaire qu'il est utile de faire, c'est que très-souvent les souillures, qui existent sur les chemises des petites filles surtout, sont extrêmement complexes; et que l'on doit chercher à démêler la nature des taches formées par le sang, le pus ou le sperme, au milieu de celles qui résultent de la malpropreté, et notamment des taches formées par des matières fécales.

Les *taches de sang*, dont les caractères physiques, chimiques et microscopiques, ne sauraient trouver place ici, offrent cependant certaines particularités importantes dans les cas de viol et d'attentat à la pudeur.

Elles peuvent provenir d'une déchirure comme celle qui constitue la défloration, et qui aura donné lieu à une petite hémorrhagie, dont le sang aura jailli sur les vêtements de la femme, ou sur ceux de l'inculpé à l'intérieur du pantalon ou sur la chemise, et formera soit de petites gouttelettes isolées, soit une ou plusieurs taches uniformes et plus ou moins étendues; d'autres fois elles résulteront d'un froissement rude, d'une excoriation plus ou moins profonde, et offriront les caractères d'une tache faite par essuiement d'une surface ensanglantée; dans tous les cas, les taches de sang, quelles que soient leur origine et leur forme, n'affectent pas chez la femme victime de violences de siége déterminé par telle ou telle partie de la chemise; et il est tout à fait inexact de dire, ainsi que nous l'avons fait remarquer déjà, que les taches de sang occupent le plus ordinairement le derrière de la chemise.

Il est bon de se mettre en garde contre une erreur d'ailleurs très-facile à éviter, et qui résulterait de la présence, sur les vêtements de la femme, de taches formées par le sang menstruel; mais, outre que ces dernières occupent une surface beaucoup plus étendue, elles n'ont jamais la netteté de contour et la coloration franche des taches beaucoup plus petites qui résultent de la lésion des parties génitales par les violences criminelles. De plus l'examen microscopique montre dans le sang des règles des différences très-marquées. Les globules plus pâles sont toujours mélangés de larges cellules épithéliales pavimenteuses. (*Pl. III, fig.* 1.)

Les *taches de matière mucoso-purulente*, provenant des écoulements de diverse nature dont peuvent être atteintes les petites filles victimes d'attentats à la pudeur, peuvent être aisément distinguées de celles qui sont formées par le sperme;

mais c'est en vain que l'on a cherché un caractère qui permît de découvrir quelque différence caractéristique entre le mucus purulent provenant de l'inflammation et la matière virulente de la blennorrhagie, non plus que l'origine de l'humeur qui forme les taches, suivant qu'elles proviennent de la femme ou de l'homme. Un instant, l'un des médecins les plus distingués, et des premiers qui se soient appliqués aux recherches microscopiques, M. le docteur Donné, l'habile recteur de l'Académie de Montpellier, avait cru pouvoir reconnaître la nature de l'écoulement blennorrhagique par la présence d'un infusoire, qu'il désignait sous le nom de *Trichomonas vaginale*. Mais il est constant aujourd'hui que cet animal microscopique peut prendre naissance dans les humeurs qu'engendrent les inflammations les plus diverses.

Considérées en elles-mêmes, ces taches provenant d'un écoulement vaginal se présentent en très-grand nombre, larges, épaisses, superposées les unes aux autres, et recouvrant parfois tout le pan de la chemise d'un enfant. Elles sont de couleur jaune plus ou moins foncée, verdâtres et souvent légèrement teintes de sang. Examinées au microscope, par les mêmes procédés qui vont être décrits pour les taches de sperme, elles offrent les caractères des écoulements vaginaux, c'est-à-dire des masses amorphes de mucus, des granulations moléculaires ou des globules de muco-pus, un grand nombre de cellules d'épithélium pavimenteux isolées ou plus souvent imbriquées. (*Pl. III, fig.* 2.)

Les *taches de sperme*, dont la constatation, au point de vue des accusations de viol et d'attentat à la pudeur, présente une importance capitale, peuvent être reconnues par des procédés certains, d'une exécution simple et facile, et dont tout médecin peut se rendre aisément capable. Ce ne sont pas seulement des taches récentes que l'on peut ainsi découvrir et caractériser. On doit à H. Bayard (1) la dé-

(1) Voyez *Ann. d'hyg. et de méd. lég.*, 1839, t. XXII, p. 134.

monstration de ce fait, que l'on peut, après un temps très-long, retrouver sur du linge, taché par la liqueur séminale, le caractère essentiel du sperme, c'est-à-dire la présence des spermatozoïdes. Seulement le procédé indiqué par Bayard doit faire place à un mode opératoire beaucoup plus simple et beaucoup plus sûr, que j'indiquerai.

Le siége des taches spermatiques est essentiellement variable, et n'affecte nullement de préférence, malgré l'assertion de M. Devergie, le devant de la chemise.

Leurs caractères extérieurs sont bien connus, et il suffit de rappeler la coloration grisâtre, quelquefois presque blanche ou d'un jaune-citron, les contours irréguliers mais nettement accusés, et la consistance plus ou moins fortement empesée.

Les moyens de reconnaître la nature des taches de sperme ont été longtemps insuffisants, soit qu'ils consistassent à développer par la chaleur l'odeur dite spermatique qui n'appartient pas exclusivement à la liqueur séminale, soit qu'à l'aide des réactions chimiques on constatât la nature animale de l'humeur d'où provenaient les taches, en détruisant précisément le signe propre à distinguer le sperme.

L'examen microscopique seul permet de retrouver le caractère essentiel absolu qui permet d'affirmer la nature des taches formées par le sperme, c'est-à-dire la présence des spermatozoïdes; caractère sans lequel l'expert ne devra, dans aucun cas, conclure malgré les indices en apparence les plus certains. Rien n'est plus simple d'ailleurs que de se familiariser avec la configuration des spermatozoïdes qui représentent une tête ovoïde surmontant une queue longue et amincie: forme bien connue de cet élément anatomique analogue aux cils vibratiles et qui constitue l'ovule mâle. Il n'est, sans doute, pas nécessaire d'ajouter que l'on ne trouve dans les taches que des spermatozoïdes dépourvus de mouvements, ceux-ci disparaissant au bout de deux heures environ lorsque le sperme se dessèche, et parfois même altérés et en partie détruits.

Je ne dirai que quelques mots du procédé de Bayard, qui a l'inconvénient d'être compliqué et difficile sans donner des résultats toujours certains et parfaits. Il en décrivait ainsi lui-même les opérations multipliées : 1° Couper avec des ciseaux et enlever avec précaution une partie des taches sans froisser ni déchirer le tissu. 2° Le placer dans un tube ou dans un verre, l'arroser d'eau distillée chaude dans laquelle on le laisse macérer pendant plusieurs heures. 3° Filtrer le liquide, mettre le tissu taché dans une capsule de porcelaine, et l'humecter d'eau distillée; chauffer à la flamme d'une lampe à alcool sans dépasser la température de 80 degrés; verser ce liquide sur le filtre qui a déjà servi. 4° Si le linge taché ne s'est pas entièrement décoloré, si la matière gluante y adhère encore, on le place dans de l'eau éthérée ou ammoniacée (proportion de 1/16), et après macération on jette ce liquide sur le filtre. 5° Enfin, après avoir laissé égoutter le filtre, on le coupe à sa partie inférieure à 2 centimètres de son extrémité. On le renverse sur une lame de verre et on humecte la surface du papier avec de l'eau éthérée ou ammoniacée qui dissout les matières grasses ou le mucus, détache du filtre tout ce qui y adhérait et l'applique sur la lame de verre. On la recouvre d'une seconde lame, et, par l'examen microscopique avec un grossissement de 300 diamètres, on voit les animalcules.

Mais, outre la multiplicité et la délicatesse des opérations, il y avait dans ce procédé de Bayard un grave défaut, qui consistait dans la manière dont la tache était traitée et dans l'emploi de la chaleur, qui exposaient très-fréquemment à troubler la liqueur séminale et à détruire les spermatozoïdes.

La méthode que je conseille, et qui est de beaucoup supérieure, est celle que mon savant collègue, M. le docteur C. Robin, a généralisée pour l'examen des taches de toute nature, et qui a l'immense avantage de leur restituer leurs caractères primitifs sans altérer la substance qui les compose; de telle sorte qu'il suffit d'en soumettre une parcelle à l'examen microscopique comme s'il s'agissait d'une tache toute fraîche. Le tissu étant découpé de manière à dépasser un peu la portion tachée, on fait tremper dans l'eau distillée ou dans une solution faiblement alcaline, à la température ordinaire, l'extrémité non tachée. Le tissu s'imbibe alors par capillarité, et la tache elle-même, à mesure que l'eau la pénètre, et après un temps qui varie de trois à six ou douze heures, se gonfle, se boursoufle, se reconstitue en quelque sorte, et l'on n'a plus qu'à enlever avec la pointe d'un scalpel une petite partie de la matière déposée sur le linge que l'on place sur une lame de verre pour l'examen microscopique. On reconnaît alors avec une extrême facilité les spermatozoïdes la plupart intacts, quelques-uns brisés. Ces éléments microscopiques sont parfois agglomérés dans une masse amorphe. Ils se présentent le plus souvent mêlés à des granulations graisseuses, à des globules de mucus granuleux et enfin à des cristaux prismatiques à base rhomboïdale de phosphate de magnésie. (*Pl. III, fig.* 3.)

Tel est le procédé très-simple, très-pratique et très-sûr, qui, dispensant de tous les autres, permettra toujours de constater et de démontrer la véritable nature des taches de sperme que l'expert a si souvent à examiner dans les cas de viol et d'attentats à la pudeur.

24° **L'attentat ou le viol sont-ils simulés?** — Rien n'est plus commun que de voir, surtout dans les grandes villes, des plaintes en attentat à la pudeur, uniquement dictées par des calculs intéressés et de coupables spéculations. Des parents ne craignent pas de faire la leçon à de jeunes enfants; quelques-uns vont jusqu'à déterminer sur leurs organes des excoriations ou des ecchymoses destinées à simuler les traces de violences sur lesquelles se fondent leurs accusations mensongères. Bayard en a cité un exemple (1) tout à fait caractéristique et j'en ai rencontré plusieurs. J'ai vu présenter à la justice des chemises, des draps de lit maculés à dessein de sang, de sperme et de matière provenant d'un écoulement.

Une des premières opérations de médecine légale qui m'aient été confiées, et dans laquelle j'assistais Ollivier (d'Angers), avait pour objet une affaire de ce genre. Des parents se plaignaient hautement de ce que leur petite fille, âgée de six ans, avait contracté une blennorrhagie qui lui avait été communiquée par un individu dont elle avait été victime. Et tandis que nous trouvions la petite fille parfaitement saine, c'est chez ses parents que nous constations au plus haut degré l'affection contagieuse dont ils avaient simulé l'existence chez leur propre enfant. Dans le fait de Bayard, il s'agissait d'une imputation de viol commis sur une petite fille de trois ans chez laquelle on ne trouvait que des excoriations provoquées et des taches de sang simulées.

On voit dans quel sens l'expert devra diriger ses recherches, et comment, avec de l'attention, il pourra le plus souvent confondre l'imposture, et mettre la justice dans la voie de la vérité. Il est bon de se défier des récits des personnes qui entourent les enfants et des enfants eux-mêmes; et, l'on ne saurait trop le répéter, de fonder uniquement son avis sur les constatations directes et sur l'état matériel des organes. Il suffit, pour montrer que cette pratique est la seule prudente, de rappeler ces cas, dans lesquels une plainte de viol s'évanouissait devant l'examen de la prétendue victime, chez laquelle l'absence de toute trace de violence et les signes caractéristiques d'une virginité persistante prouvaient de la manière la plus évidente la simulation.

(1) *Attentat à la pudeur simulé* (*Ann. d'hyg. et de méd. lég.*, t. XXXVIII, p. 218).

J'ai terminé l'examen des vingt-quatre questions qui, d'après l'analyse des faits que j'ai observés, m'ont paru se présenter le plus souvent dans le cours des enquêtes ou des débats judiciaires relatifs aux attentats à la pudeur et au viol; mais, je le répète en finissant, il faut se garder de croire que ce cercle de questions ne puisse pas être étendu suivant les circonstances imprévues de quelque affaire nouvelle.

DES SYSTÈMES DE DÉFENSE LE PLUS SOUVENT USITÉS DANS LES AFFAIRES DE VIOL ET D'ATTENTAT A LA PUDEUR.

Dans toute cette longue étude, je n'ai rien négligé pour faire pressentir les objections, les allégations diverses contre lesquelles l'expert doit presque inévitablement se heurter et qui constituent comme le fond ordinaire et commun de la défense du plus grand nombre des accusés. Je me suis également attaché à montrer par quels moyens, tirés de l'appréciation exacte des circonstances de chaque cas particulier, il était le plus souvent facile de réfuter ces systèmes fragiles de justification. Je n'ai pour ainsi dire qu'à les résumer ici, suivant qu'ils se rapportent aux attentats à la pudeur ou au viol.

Pour les premiers, les déformations constatées dans les parties sexuelles des petites filles seront attribuées par les inculpés ou par leurs conseils à des habitudes d'onanisme; l'écoulement, dont elles seront atteintes, aux causes les plus diverses et, en particulier, à la malpropreté, ou à l'exagération du tempérament lymphatique. Les défenseurs ne manquent pas d'arguments empruntés à l'étiologie banale de la leucorrhée et des inflammations vulvaires; ils y ajoutent des considérations faciles sur la possibilité des erreurs médicales relatives au diagnostic des diverses espèces d'écoulement. Mais si l'on veut bien se rappeler ce que nous avons dit de a marche que doit suivre l'expert, on verra qu'en sortant de ces questions mal posées, de ces généralités fausses et stériles, en s'attachant uniquement au fait particulier qui lui est soumis, aux caractères spéciaux des lésions constatées, rapprochées des conditions individuelles du sujet examiné, en éliminant ainsi les causes qui ne peuvent trouver leur application dans chaque cas présent, il sera le plus souvent possible de préciser les termes du problème et d'en donner la solution, en même temps que l'on ruinera les objections plus ou moins spécieuses que peut susciter la défense.

S'il s'agit d'un viol, d'une défloration consommée, le système le plus ordinaire est de discuter la date de la défloration, de supposer qu'elle remonte à une époque plus ancienne que celle à laquelle le crime se rapporterait. Plus rarement on conteste les causes de la déchirure de l'hymen; on attribue à la victime des habitudes de débauche qui expliquent la perte de la virginité, ou un consentement qui enlèverait à l'acte toute criminalité; enfin on cherche à disculper l'accusé en raison de son âge, de sa conformation physique ou de ses dispositions particulières. C'est donc en déterminant avec le plus de certitude possible l'époque de la défloration d'après l'état des lèvres de la plaie et le degré plus ou moins avancé de la cicatrisation; les causes de la déchirure de l'hymen d'après la forme et le siége qu'elle affecte; les habitudes et les mœurs de la victime d'après la rétraction ou la non-rétraction des lambeaux de l'hymen qui indiquent si les rapprochements sexuels ont été isolés ou répétés; l'état mental de la femme qui peut fournir des indices sur sa participation plus ou moins volontaire aux actes qu'elle a subis; enfin, c'est en recherchant sur l'inculpé les preuves de ces impossibilités physiques qu'on invoque, que l'expert parviendra à faire prévaloir l'opinion que son expérience et sa conscience lui auront fait adopter comme l'expression de la justice et de la vérité.

OBSERVATIONS D'ATTENTATS A LA PUDEUR ET DE VIOL.

Après avoir passé en revue les questions nombreuses et variées que la justice peut proposer à résoudre au médecin expert dans la poursuite et le jugement des crimes d'attentats à la pudeur et de viol, je crois utile de citer ici quelques faits particuliers qui pourront compléter utilement l'exposé analytique qui précède. Je ne multiplierai pas ces exemples, et je me bornerai à ceux qui offrent quelque particularité intéressante, soit au point de vue des constatations matérielles, soit eu égard aux questions qu'ils ont soulevées.

J'appellerai surtout l'attention, dans les faits qui vont suivre, sur la conformation des parties sexuelles, sur les lésions morbides et sur la déformation caractéristique consécutive aux attentats à la pudeur, ainsi que sur les cas exceptionnels de vice de conformation des organes génitaux. Dans les observations relatives au viol, j'insisterai particulièrement sur l'état des lambeaux de l'hymen déchiré et sur les viols suivis de mort.

Observation I. — *Attentat à la pudeur. — Signes négatifs. — Leucorrhée constitutionnelle.*

Visite de la jeune Augustine Bodin, âgée de six ans et demi.

Enfant lymphatique peu développée, peu intelligente. Pleurs; yeux rouges, paupières enflammées, sans cils. Engorgement et abcès autour du cou.

Parties génitales externes très-peu développées. L'ouverture de la vulve est très-étroite et très-enfoncée : on aperçoit la membrane hymen qui la ferme complétement et dont le centre seul est percé d'un petit orifice; elle est parfaitement intacte. La fourchette n'est nullement déprimée. Écoulement médiocrement abondant d'une matière jaune assez épaisse, qui imprègne la face interne des petites et des grandes lèvres et l'orifice de la vulve, mais sans trace d'inflammation ni d'ulcération. Pas de douleur.

Conclusions : 1° La jeune Julie-Augustine Bodin n'a pas été déflorée ; 2° la membrane hymen ainsi que les parties extérieures de la génération sont intactes et ne présentent les traces d'aucune violence ; 3° l'écoulement peu abondant dont est actuellement affectée la jeune Bodin paraît être uniquement dû à une irritation locale fréquente chez les petites filles d'un tempérament lymphatique et d'une constitution très-molle comme est la jeune Bodin, qui a déjà été d'ailleurs atteinte d'un écoulement semblable ; 4° l'absence d'inflammation et d'ulcération, et l'intégrité des parties sexuelles, jointes à la nature de l'écoulement, ne permettent pas de penser qu'il résulte de la communication d'une affection vénérienne contagieuse ; 5° par suite des précédentes constatations, nous n'avons pas jugé nécessaire de visiter l'inculpé Carmann, dont l'état a déjà du reste été l'objet d'un premier examen.

OBSERV. II. — *Attentat à la pudeur avec déchirure incomplète de l'hymen.*

Visite de la jeune Mathilde François, âgée de dix ans.

Assez grande pour son âge ; bonne constitution. Pas de scrofules. Parties sexuelles bien conformées. Développement avancé, mais non exagéré. Membrane hymen non détruite. Orifice de la vulve notablement élargi, mais sur le bord gauche et vers l'insertion supérieure de l'hymen, déchirure qui intéresse les deux tiers de la hauteur. Déchirure incomplétement cicatrisée et marquée par un gonflement et une vive rougeur des deux lèvres de la blessure. L'inflammation ne s'étend pas aux parties adjacentes, ni tuméfaction, ni rougeur, ni écoulement. Pas de douleur. Santé générale non altérée.

1° La jeune Mathilde François n'a pas été déflorée ; 2° mais elle présente une déchirure incomplète de la membrane hymen, qui est le résultat manifeste d'une tentative d'introduction d'un corps dur et volumineux comme le membre viril ; 3° il n'existe aucune trace d'affection vénérienne soit ancienne, soit récente ; 4° l'inflammation circonscrite est l'indice des violences qui ont été exercées sur la jeune François.

OBSERV. III. — *Attentat à la pudeur. — Inflammation simple et très-aiguë de la vulve et du vagin.*

Visite le 27 juin 1856 de la jeune Clara Peuchin, âgée de huit ans.

Jeune enfant de constitution excellente. Parties sexuelles bien conformées et pas plus développées que l'âge ne le comporte. Inflammation générale de la vulve. Hymen rouge, tuméfié, déchiré sur le bord libre. Écoulement abondant de matière purulente sortant du vagin ; ni ulcération, ni engorgement. Bon état général.

L'inculpé présente à l'extrémité du membre viril de nombreuses excoriations récentes, mais sans caractère syphilitique, et qui peuvent se rattacher à une irritation de l'urèthre, qui se manifeste par un suintement muqueux assez abondant que la pression du pénis rend très-apparent. Il y a en outre à la base du gland une cicatrice ancienne dont le siége et la forme indiquent qu'elle provient d'un chancre depuis longtemps guéri. On n a trouvé d'ailleurs sur ce détenu aucun signe actuel de syphilis constitutionnelle.

1° La jeune Clara Peuchin n'a pas été déflorée.

2° Elle porte des traces de violences manifestes, caractérisées par la déchirure incomplète de l'hymen et par l'inflammation très-aiguë dont les parties sexuelles sont le siége.

3° Cette inflammation, qui peut être le résultat d'un contact impur, peut aussi être simplement le résultat de l'irritation produite par des tentatives violentes d'introduction du membre viril. Elle ne peut dans aucun cas être attribuée soit à la mauvaise constitution de l'enfant, soit à des habitudes vicieuses de sa part.

4° Le nommé C... n'est atteint en ce moment d'aucune affection vénérienne actuellement communicable, mais il porte les traces d'une inflammation chronique des organes génitaux, qui peut avoir rendu son approche encore plus irritante pour les parties délicates d'un enfant.

OBSERV. IV. — *Attentat à la pudeur sur une petite fille âgée de quatre ans et demi. — Inflammation simple avec végétations de la vulve.*

La jeune Clotilde Pinauguet, âgée de quatre ans et demi, est d'une belle constitution, mais assez peu développée pour son âge. Les parties sexuelles sont bien conformées. On note seulement une dilatation marquée de la vulve. La membrane hymen existe sans déchirure ; mais sur sa face externe, ainsi que sur le bord interne des petites lèvres et à l'entrée même de l'urèthre, il existe cinq petites excroissances ayant la forme de végétations granuleuses dont le volume varie depuis celui d'un gros grain de millet jusqu'à celui d'une petite lentille. Elles sont d'un rouge vif et formées aux dépens de la membrane muqueuse, qui, du reste, n'est pas ulcérée et n'est le siége d'aucun écoulement. Les ganglions de l'aine sont le siége d'un engorgement peu considérable. Il n'y a pas de traces de violence appréciables. On ne voit pas non plus d'éruption spécifique dans les diverses parties du corps, et notamment autour des organes sexuels et de l'anus.

CONCLUSIONS : 1° La jeune Clotilde Pinauguet n'est pas déflorée ; 2° elle présente aux parties sexuelles, outre un élargissement marqué de la vulve, plusieurs végétations qui, sans être le résultat nécessaire d'une maladie vénérienne communiquée sont l'indice d'une irritation locale très-vive, analogue à celle qu'auraient déterminée des frottements répétés, des attouchements violents et des tentatives d'intromission du membre viril ; 3° la constitution de l'enfant, l'absence d'écoulement, aux parties sexuelles, montrent que l'affection dont elles sont le siége ne peut reconnaître pour cause une disposition naturelle caracté ristique du tempérament lymphatique, et qu'elle résulte de violences directes.

OBSERV. V. — *Attentat à la pudeur sur une petite fille de cinq ans. — Désordres considérables. — Inflammation. — Écoulement blennorrhagique.*

Examen de la jeune Parant, âgée de cinq ans.

Peu développée. Tempérament lymphatique et bonne constitution; a eu quelques engorgements glanduleux, et à différentes reprises léger écoulement leucorrhéique des parties extérieures de la génération. Des renseignements fournis par l'enfant au milieu d'hésitations et de larmes, il résulte que l'inculpé se serait livré trois fois sur elle à des tentatives de violences; que, le 10 janvier notamment, il l'aurait attirée dans sa chambre, et qu'après l'avoir jetée sur son lit, il s'était couché sur elle, lui avait introduit un morceau de bois très-dur dans le derrière, qu'il était resté dans cette position pendant un petit quart d'heure, et qu'enfin elle s'était sentie mouillée autour des parties. Elle ajoute qu'elle avait souffert et que la douleur l'avait fait crier.

Grandes lèvres imprégnées de mucus purulent concrété. Entrée de la vulve siége d'une inflammation très-violente avec rougeur vive de la face interne des petites lèvres, ulcération superficielle de la membrane muqueuse qui les revêt, et enfin écoulement abondant d'une matière épaisse et assez analogue au pus. Le clitoris est plus développé qu'il ne l'est d'habitude; il n'est le siége d'aucune irritation particulière; la fourchette est intacte. L'entrée de la vulve est manifestement élargie, elle offre une disposition infundibuliforme et constitue une sorte de canal assez large pour admettre le pouce d'un homme adulte, et qui se rétrécit au niveau de l'hymen. Cette membrane n'est pas déchirée dans son segment inférieur, mais l'orifice central est notablement agrandi; les bords de l'hymen, incomplétement détruits, forment de chaque côté de l'entrée du vagin un repli saillant, rouge, tuméfié, légèrement excorié. Il n'existe pas de chancres. Les ganglions de l'aine sont tuméfiés et un peu douloureux.

Pas de traces de contusions, ni sur les bras, ni sur les membres inférieurs. Santé générale non altérée.

1° La jeune Parant est actuellement affectée d'une inflammation très-violente des parties extérieures de la génération avec écoulement blennorrhagique abondant.

2° La membrane hymen est incomplétement déchirée et l'orifice du vagin manifestement élargi.

3° Ces désordres peuvent être attribués à des violences répétées et à des tentatives d'introduction d'un corps dur dans les parties sexuelles.

4° La nature de l'écoulement et l'intensité de l'inflammation ne permettent pas de les rapporter à un flux leucorrhéïque analogue à celui qui peut exister chez les petites filles d'un tempérament lymphatique.

5° Rien n'indique que la jeune Parant soit adonnée à des habitudes d'onanisme.

6° L'écoulement blennorrhagique dont est atteinte cette enfant peut lui avoir été communiqué par le contact, et est analogue à l'affection qui a été constatée chez l'inculpé.

Observ. VI. — *Attentat à la pudeur sur une petite fille de quatre ans et demi. — Inflammation vulvaire. — Écoulement par l'urèthre. — Blennorrhagie communiquée.*

Visite de la jeune Henriette Muhaux, à Lourcine.

Enfant de quatre ans et demi, bien constituée. Pas de scrofules. Parties bien conformées. Pas de développement anticipé. Inflammation très-aiguë. Gonflement, rougeur très-vive. Écoulement purulent verdâtre par la vulve et l'urèthre *turgescence vasculaire très-remarquable.* Hymen non détruit, rouge, tuméflé. Pas d'élargissement. Santé générale non altérée.

L'inculpé est atteint d'une chaude-pisse aiguë avec écoulement purulent verdâtre, rougeur du méat et du prépuce, pas de chancres, qui remonte à un mois, à ce qu'il dit. Il prétend faussement que c'est le retour d'un écoulement ancien de plus de cinq ans.

1° La jeune Muhaux n'a pas été déflorée.

2° Elle est atteinte d'un écoulement blennorrhagique qui résulte manifestement d'un contact impur et qui est de nature vénérienne.

3° Elle ne porte pas d'autres traces actuellement appréciables de violence et d'attentat.

4° Le nommé B... est affecté d'un écoulement actuellement communicable et de la même nature que celui dont l'enfant est atteinte.

Observ. VII. — *Attentat à la pudeur commis par un vieillard septuagénaire sur une petite fille âgée de huit ans. — Inflammation très-aiguë de la vulve. — Blennorrhagie communiquée. — Examen de l'inculpé. — Analyse des taches.*

Elisa Beaunis, âgée de huit ans, est généralement peu développée : elle est chétive, et ses traits flétris, son teint plombé, ses yeux fortement cernés, lui donnent un aspect qui n'est pas naturel à son âge. C'est avec beaucoup de difficulté qu'elle consent à nous répondre, et les renseignements qu'elle nous donne sont fort incomplets. Il en résulte cependant que depuis assez longtemps déjà, un an environ, le sieur Lemaigre, chez lequel elle allait à l'école, s'était livré sur elle à des attouchements répétés et l'avait forcée à porter elle-même la main dans son pantalon; enfin à plusieurs reprises il l'avait mise sur une chaise la robe relevée, les jambes fortement écartées, et se plaçant en face d'elle avait renouvelé ses attouchements et avait de plus introduit autre chose que son doigt entre ses jambes. La jeune Adèle Beaunis ajoute qu'une fois elle s'est senti les jambes mouillées. Du reste, elle n'a jamais souffert, ni pendant, ni après les actes auxquels se livrait le sieur Lemaigre. Il y a seulement un mois qu'elle a été affectée d'un écoulement vaginal abondant, qui a éveillé l'attention de ses parents, et amené ses aveux. La dame Beaunis nous a représenté les draps qui avaient été récemment enlevés du lit que sa fille occupe seule, et ceux qui y sont actuellement; elle nous a montré également plusieurs chemises qui ont été portées dans ces derniers temps par son enfant. Elle nous a déclaré en même temps n'avoir pas conservé celle qu'avait la jeune Adèle lors de ses derniers rapports avec le sieur Lemaigre.

Nous avons soumis ensuite les parties sexuelles de la jeune Beaunis à un examen attentif, et nous les avons trouvées dans l'état suivant :

Les parties extérieures de la génération ne sont pas plus développées que ne le comporte l'âge de l'enfant. Le bord des grandes lèvres est rouge et comme gercé. Leur face interne est aussi le siége d'une irritation assez vive ; mais c'est surtout en pénétrant plus profondément que l'on découvre des désordres plus grands. Les petites lèvres et la membrane muqueuse qui tapisse l'orifice de la vulve et celui de l'urèthre, offrent les signes de la plus violente inflammation : une rougeur ardente avec boursouflement et quelques petites excoriations superficielles. La membrane hymen existe ; elle n'est ni déchirée ni déformée, mais sa face antérieure est, comme les parties voisines, fortement enflammée, tuméfiée et saignante au moindre contact. L'ouverture de l'hymen paraît un peu élargie, mais trop peu cependant pour admettre l'extrémité du petit doigt, surtout dans l'état d'irritation où se trouvent ces organes. La fourchette est intacte. Le clitoris est très-peu développé. Enfin on voit s'écouler à la surface des parties malades et par l'orifice étroit de la vulve une matière jaunâtre peu épaisse qui suinte d'une manière continue, et dont la quantité augmente notablement lorsqu'on presse au niveau du périnée sur la cloison du vagin. L'enfant n'accuse d'ailleurs qu'une médiocre douleur et dit ne pas souffrir en urinant. Il n'existe dans les aines aucun engorgement ganglionnaire, non plus qu'aucune autre lésion dans le reste du corps.

Les différents linges qui nous ont été présentés nous ont offert des taches qu'il nous reste à décrire. Les chemises portées depuis une quinzaine de jours par la jeune Adèle Beaunis, et notamment celle qu'elle avait au moment de notre visite, sont souillées en avant et en arrière dans toute leur largeur par un nombre considérable de taches d'un jaune verdâtre, formées par un mucus purulent desséché, auquel se mêlent en petite quantité quelques traces sanguinolentes et d'autres souillures produites par des matières fécales. Ces taches se retrouvent avec leur coloration spéciale et tous leurs caractères sur les draps qui ont séjourné pendant deux semaines au lit de la jeune Adèle, et sur ceux qui y sont depuis huit jours. La teinte verdâtre est un peu moins marquée sur ces derniers où les taches sont en général moins épaisses et d'une couleur plutôt grisâtre. Nous n'avons pas eu à rechercher si du sperme était mélangé à ces taches que la mère nous a affirmé être toutes récentes, et postérieures aux rapports qui auraient pu exister entre un homme et son enfant.

De l'exposé des faits qui précèdent, et de l'examen auquel nous nous sommes livré, nous concluons que :

1° La jeune Adèle Beaunis n'a pas été déflorée. 2° Elle est affectée en ce moment d'une très-violente inflammation avec écoulement muco-purulent des parties extérieures de la génération. 3° Cette inflammation et l'écoulement qui l'accompagne peuvent résulter simplement d'un contact irritant auquel auraient été soumises les parties sexuelles; et notamment des attouchements répétés ou du frottement du membre viril à l'entrée de la vulve. 4° Il est possible, en outre, que l'écoulement soit le résultat d'une affection vénérienne communiquée ; mais c'est ce que ne permettent pas de reconnaître les caractères physiques ou chimiques de la matière de l'écoulement. 5° L'examen des organes génitaux du sieur Lemaigre pourrait seul jeter quelques lueurs sur la nature de l'affection dont est atteinte la jeune Adèle Beaunis.

L'inculpé Lemaigre, âgé de soixante et onze ans, cassé, atteint d'une double hernie inguinale énorme et de varices, est affecté d'un écoulement uréthral très-considérable, vénérien, contagieux, et peut par le simple contact des parties sexuelles, avoir communiqué à Adèle Beaunis l'écoulement dont elle est atteinte.

Observ. VIII. — *Attentat à la pudeur sur deux petites filles. — Inflammation vulvaire. — Déformation des parties sexuelles. — Lésions de la bouche et des lèvres.*

J'ai eu, dans cette affaire, à examiner deux petites filles dont je vais indiquer sommairement l'état :

1° Élisabeth, âgée de dix ans moins un mois, est une enfant de taille ordinaire, d'une constitution assez chétive ; et son teint est pâle et flétri, ses yeux fortement cernés. Elle a l'air très-avancée et très-intelligente, et répond avec une assurance et une précision qui ne se démentent pas un seul instant.

Interrogée par nous sur ses rapports avec le sieur Barré, elle nous fait le récit de toutes les circonstances qui sont mentionnées dans les interrogatoires dont nous avons pris connaissance et qu'il est inutile de répéter. Nous rappellerons seulement les détails les plus importants. Il y a trois ans que le sieur Barré aurait pour la première fois attiré dans son lit la jeune Élisabeth, et depuis cette époque le même acte se serait renouvelé toutes les fois que l'occasion s'en serait présentée. Dans ces diverses rencontres, il aurait non-seulement porté les mains sur les parties les plus secrètes du corps de l'enfant, mais encore à plusieurs reprises il lui aurait placé le membre viril entre les cuisses, soit en avant, soit en arrière, en la mettant, soit sur le dos, soit sur le ventre, et s'étendant sur elle. Plus d'une fois Élisabeth se sentit mouillée sur le ventre et sur les cuisses par un liquide qu'elle prit pour de l'urine, et sur la nature duquel elle ne peut s'expliquer. En général, lorsque le sieur Barré se portait sur elle à cette tentative de coït, elle éprouvait une vive cuisson et une sensation pénible qui la portait à s'agiter et à se retirer. Une seule fois elle ressentit une douleur plus violente que de coutume, en même temps qu'elle était couverte par une liqueur abondante. A la suite de ces actes si fréquemment renouvelés, Élisabeth continuait à souffrir de démangeaisons et de picotements assez douloureux aux parties génitales. Elle ne s'est aperçue d'ailleurs d'aucun écoulement. Elle ajoute que dans ses attouchements, Barré n'a jamais cherché à faire pénétrer son doigt au delà de l'orifice extérieur de la vulve. Ce sont là tous les excès auxquels il s'est porté sur elle. Au dire du sieur Nicolas, depuis qu'il a cette enfant chez lui, il a remarqué que chaque fois qu'elle allait chez Barré elle en revenait mal à son aise, marchant péniblement, et qu'elle avait même eu plusieurs vomissements. Il n'a pas observé qu'elle fût adonnée à la masturbation.

L'examen des parties sexuelles nous montre un développement assez considérable de ces parties : le pubis est garni d'un duvet assez apparent; les grandes lèvres forment une saillie très-marquée, surtout en arrière, où elles s'écartent de manière à laisser voir facilement l'orifice du vagin qui est assez dilaté pour admettre l'extrémité du pouce d'un adulte : les petites lèvres sont développées; le clitoris, au contraire, est peu apparent; la fourchette est amincie et déprimée, mais ne présente pas de déchirure. A notre première visite, une inflammation extrêmement violente occupait l'entrée du vagin. Toutes les parties étaient considérablement boursouflées, d'un rouge très-vif et d'une sensibilité telle, que le moindre contact était insupportable et qu'il était difficile d'apprécier bien exactement l'état des parties. La seconde fois, lorsque nous avons renouvelé notre examen, quelques moyens très-simples que nous avions prescrits avaient diminué la phlogose, et nous avons pu voir que la membrane hymen, d'ailleurs intacte, est refoulée profondément de manière à laisser en arrière un cul-de-sac assez profond entre la convexité et le bord postérieur du vagin. Elle est encore tuméfiée et très-rouge, et l'orifice que circonscrit son bord concave est rétréci par le gonflement. Il n'existe ni ulcération, ni écoulement appréciable ; et l'on ne constate sur le linge aucune tache qui en indique l'existence. Il n'y a non plus dans les aines et à l'hypogastre ni tumeur, ni douleur.

Du côté de l'anus il n'y a absolument rien à noter; la forme de l'orifice n'est pas modifiée ; il n'est ni élargi, ni déchiré, et ne présente aucune trace de contusion ou de violence. Il n'en existe pas non plus sur d'autres parties du corps.

2° La jeune Joséphine, âgée de six ans et quatre mois, est peu développée et d'une constitution délicate. Sa physionomie est extrêmement douce et candide ; elle répond avec une grande timidité, mais en même temps avec une naïveté qui ne manque pas de précision.

Il y aurait, suivant ses réponses, dix-huit mois que son papa Barré l'aurait associée aux actes qu'il commettait sur sa sœur ; elles entraient toutes les deux dans le lit et passaient successivement entre ses mains. D'autres fois il les emmenait séparément dans quelque partie isolée de la maison. Il essaya sur la petite Joséphine, dans la même position que sa sœur, d'introduire le pénis soit dans le vagin, soit dans l'anus; mais il réitéra moins souvent ces tentatives, qu'il ne poussa jamais très-loin, il se bornait avec elle à de mutuels attouchements...

Les parties génitales de la petite Joséphine ne présentent rien d'anormal, si ce n'est un peu de rougeur des petites lèvres, sans inflammation bien notable, sans écoulement, sans ulcération. La membrane hymen est dans un état d'intégrité parfaite; l'anus est également intact, ainsi que le reste du corps.

Il n'en est pas de même de la bouche : les lèvres sont gonflées et très-rouges. Tout leur pourtour est couvert de petites ulcérations assez analogues par leur forme et leur aspect à des aphthes, mais exclusivement limitées au bord extérieur des lèvres, et ne s'étendant ni à leur face interne, ni en dedans des joues, ni à aucune autre partie de la bouche. Les commissures labiales sont fendillées et en partie déchirées, d'où il résulte que l'enfant ne peut ouvrir la bouche sans une vive douleur, ni parler ou remuer les lèvres sans une grande difficulté. Elle affirme qu'elle n'a jamais eu d'affection semblable avant les efforts dégoûtants de succion qu'a exigés d'elle le sieur Barré.

Des faits qui viennent d'être exposés, nous concluons que :

A. Pour la jeune Élisabeth : 1° Il existe une violente inflammation et une conformation particulière des parties génitales externes qui peuvent être la suite d'un contact irritant et répété d'un corps dur comme serait le membre viril en érection. 2° Il n'y a ni écoulement, ni ulcération, ni aucune trace d'affection syphilitique communiquée. 3° La membrane hymen est enflammée et refoulée, mais il n'y a pas eu défloration. 4° L'anus ne présente, pas plus que le reste du corps, aucune trace de violence.

B. Pour la jeune Joséphine : 1° Il n'existe aucune lésion, ni aucune trace de violence du côté des parties génitales ni de l'anus. Il n'y a pas eu défloration. 2° Les lèvres sont le siége d'une inflammation très-vive et de nombreuses ulcérations, qui, eu égard à leur localisation exacte et à l'absence de lésions semblables dans l'intérieur de la bouche, paraissent dues à une cause externe et directe. 3° Ces altérations peuvent en particulier avoir été produites par l'introduction et le frottement d'un corps volumineux et dur comme serait le membre viril, et le contact d'une nature âcre comme l'humeur sébacée que sécrète la face interne du prépuce. 4° Quant à la nature des ulcérations, bien qu'elles paraissent simples et non syphilitiques, nous ne pourrons la déterminer avec toute certitude que lorsqu'il nous aura été permis de procéder à la visite du sieur Barré, et peut-être du jeune Jules Pottier.

OBSERV. IX. — *Attentats à la pudeur répétés sur une petite fille de neuf ans. — Déformation de la vulve.*

Visite de la jeune Cautin, âgée de neuf ans.

Teint flétri, yeux caves, développement précoce, débauche prématurée. Organes sexuels très-développés. Vulve large et profonde. Hymen non déchiré, mais refoulé. Infundibulum assez profond pour admettre l'extrémité du pénis ; ni inflammation, ni ulcération, ni écoulement, ni déchirure. Pas de traces de violences sur le reste du corps.

La jeune Cautin n'a pas été déflorée, mais présente une déformation caractéristique des parties extérieures de la génération, résultat de tentatives répétées d'intromission d'un corps dur et volumineux, comme le membre viril.

OBSERV. X. — *Attentats à la pudeur répétés sur une petite fille de dix ans. — Déformation caractéristique.*

Visite de la jeune Marie Destenay, dix ans, à Belleville, chez sa tante, victime d'attentat de la part du nommé Anciot.

Enfant peu développée. Se refuse d'abord à l'examen. Bonne constitution. Parties sexuelles bien conformées, développement exagéré. Entrée de la vulve et du vagin notablement élargie, forme une sorte d'entonnoir au fond duquel se voit la membrane hymen refoulée et incomplétement déchirée. La fourchette, déprimée, ne porte aucune cicatrice. Ni inflammation, ni écoulement, ni ulcération.

1° La jeune Marie Destenay n'est pas complétement déflorée. 2° Elle présente une déformation particulière des organes sexuels due à des tentatives répétées d'intromission d'un corps volumineux, comme le membre viril. 3° Ces tentatives peuvent remonter à une époque assez éloignée, mais qu'il est impossible de préciser.

OBSERV. XI. — *Attentats à la pudeur répétés sur une petite fille âgée de onze ans. — Déformation caractéristique.*

Visite de la jeune Marie-Aug. Lemaire, âgée de onze ans, victime d'attentats répétés.

Petite taille. Teint flétri, yeux cernés. Déformation des organes sexuels. Vulve largement ouverte ; grandes et petites lèvres très-développées.

en augmentant la profondeur. Dimensions du clitoris non exagérées. Hymen refoulé au fond d'une sorte d'infundibulum, en partie détruit et réduit à une sorte de repli circulaire qui laisse ouvert l'orifice élargi du vagin. Cette destruction partielle de l'hymen ne consiste pas en une déchirure, mais en une sorte d'usure qui, jointe à la déformation et à la disposition infundibuliforme de la vulve, atteste des tentatives réitérées. Pas d'inflammation.

La jeune Lemaire n'a pas été complétement déflorée; mais elle présente une déformation et un élargissement des parties extérieures de la génération qui peuvent avoir été produits par des tentatives répétées d'intromission d'un corps dur et volumineux, comme le membre viril.

Il est impossible de déterminer d'une manière précise la date et le nombre de ces actes ; il est permis néanmoins d'affirmer qu'ils remontent à plus d'un mois, et se sont renouvelés un assez grand nombre de fois.

Observ. XII. — *Attentats à la pudeur répétés. — Déformation de la vulve chez une petite fille de onze ans.*

Visite, le 28 décembre 1852, à Vincennes, de la jeune Isabelle.

Enfant de onze ans, forte, physionomie étrange, difficultés pour se laisser examiner. Parties sexuelles volumineuses. Grandes lèvres fortes, velues. Ouverture de la vulve dilatée. Hymen non déchiré, mais refoulé et rétracté de telle sorte que l'orifice du vagin est élargi, sans cependant pouvoir admettre un corps aussi volumineux que le membre viril. Fourchette déprimée, mais non déchirée ; muqueuse rouge, sans inflammation, ni ulcération, ni écoulement. Santé générale bonne.

La jeune Isabelle n'a pas été déflorée, mais elle présente une déformation caractéristique des parties sexuelles, qui résulte de tentatives répétées d'intromission du membre viril. Ces tentatives remontent à une époque assez éloignée et impossible à préciser, mais qu'il est permis d'évaluer au moins à deux ou trois mois. Il n'existe aucune trace de violences extérieures, non plus qu'aucun signe d'affection vénérienne ancienne ou récente.

Observ. XIII. — *Attentats à la pudeur répétés sur une petite fille de onze ans. — Déformation caractéristique des organes sexuels.*

Visite à l'hospice des Enfants trouvés, le 19 septembre 1849, de la jeune Alphonsine Grillier.

Cette enfant, âgée de moins de onze ans, présente dans toute sa personne un développement physique et intellectuel fort au-dessus de son âge. Sa physionomie, quoique peu ouverte, est assez heureuse. Elle est seulement fort pâle; son teint est flétri et ses yeux fortement cernés. Avant même que nous nous soyons suffisamment expliqué sur les questions que nous lui adressons relativement aux violences dont elle aurait été l'objet, elle s'empresse de devancer nos interrogations en nous opposant des dénégations obstinées. Elle se prête avec peine à l'examen auquel nous devons la soumettre, et paraît redouter une douleur qui lui serait déjà connue. Nous parvenons cependant à constater les particularités suivantes :

Les parties extérieures de la génération sont remarquables par un développement anticipé et tout à fait extraordinaire. Le pubis est couvert de poils assez abondants et très-longs; les grandes lèvres, fort développées déjà, en sont également pourvues; le clitoris est d'un volume très-supérieur à celui qu'il présente d'ordinaire à cet âge; mais ce qui frappe surtout, c'est l'absence de toute fraîcheur et l'aspect flétri de ces parties. Quand on écarte les petites lèvres, on voit que l'entrée de la vulve est notablement élargie et présente une disposition infundibuliforme très-marquée. L'hymen, qui se trouve refoulé au fond de cette espèce d'entonnoir, n'est pas complétement détruit : mais il est réduit à un anneau assez étroit dont l'orifice central est fort agrandi; le bord libre de cette membrane est irrégulier, rouge, tuméfié ; à sa base on voit aussi une rougeur très-vive, due à une irritation assez profonde de la membrane muqueuse qui revêt l'entrée du vagin. Une sensibilité exagérée accompagne cette irritation, et le contact de cette partie détermine chez l'enfant quelques douleurs.

Il n'existe pas d'autres traces de violence. On ne trouve pas non plus les signes d'une affection vénérienne communiquée.

Conclusions. De l'examen qui précède nous concluons que :

1° Le développement précoce, l'aspect et la disposition particulière des organes sexuels chez la jeune Alph. Grillier sont l'indice certain d'une dépravation prématurée et d'actes vénériens répétés. 2° Il y a eu chez cette enfant non pas défloration complète, mais refoulement de la membrane hymen, élargissement de l'orifice vulvaire et irritation vive de ces parties, produits par l'introduction forcée et fréquemment renouvelée d'un corps dur, comme serait le pénis. 3° Il est impossible de fixer d'une manière précise l'époque à laquelle remonterait le premier accomplissement de ces actes attentatoires à la pudeur ; il est néanmoins très-vraisemblable qu'ils remontent à plus d'une année.

Observ. XIV. — *Attentats à la pudeur répétés sur une petite fille âgée de onze ans et demi. — Déformation caractéristique.*

Visite de la jeune Mariette Fouborne, douze ans et demi.

Quoique d'une taille et d'une physionomie non exagérées, développement véritablement extraordinaire des organes sexuels, et tous les attributs extérieurs de la nubilité. Vulve largement ouverte. Membrane hymen réduite à un anneau très-lâche, ne forme qu'un simple repli autour de l'orifice béant du vagin dont les dimensions sont de nature à permettre l'introduction libre et facile du membre viril le plus volumineux. Il n'y a d'ailleurs aucune trace encore apparente de déchirure, d'inflammation ou de lésion quelconque.

Observ. XV. — *Attentats à la pudeur répétés. — Déformation caractéristique chez une jeune fille de treize ans et demi.*

Visite, le 5 janvier 1854, de la jeune Adèle Heurtaut, à Charonne, âgée de treize ans et demi.

Jeune fille grande, assez développée quoique non nubile. Organes génitaux surtout présentant un développement presque complet et des poils assez nombreux recouvrant les grandes lèvres et le pubis. Vulve saillante et très-largement ouverte. Clitoris très-volumineux. Hymen, sans être entièrement détruit, profondément refoulé et en partie déchiré, en partie relâché, de manière à laisser béant et très-élargi l'orifice du vagin dont la dilatation permet l'introduction facile du doigt. D'ailleurs ni inflammation, ni rougeur, ni écoulement. Santé générale excellente.

1° La jeune Adèle Heurtaut n'a pas été complétement déflorée. 2° Mais les parties sexuelles sont le siége d'une déformation caractéristique, qui résulte manifestement de tentatives répétées d'intromission d'un corps dur et volumineux, comme le membre viril. 3° Ces tentatives ne sont pas toutes récentes, et l'état de la jeune Adèle Heurtaut indique des habitudes déjà anciennes de débauche. 4° Il n'existe pas d'autres traces de violences, non plus qu'aucun signe d'affection vénérienne ancienne ou récente.

Observ. XVI. — *Attentats à la pudeur répétés. — Déformation caractéristique de la vulve.*

Visite, le 5 avril 1854, à l'hospice Sainte-Eugénie, de la jeune Élisa Robert : âgée de quatorze ans et demi, formée depuis deux mois; scrofuleuse; organes sexuels prématurément développés; grandes et petites lèvres énormes, allongées, grosses, repliées : en les écartant laissent béant un infundibulum au fond duquel se trouve l'orifice élargi du vagin. La membrane hymen est incomplétement déchirée, mais considérablement relâchée, au point d'admettre sans difficulté l'index. Flueurs blanches très-abondantes. Pas d'affection vénérienne.

1° Élisa Robert incomplétement déflorée. 2° Déformation caractéristique et élargissement des parties sexuelles indiquant une longue habitude d'attouchements et de tentatives répétées d'intromission d'un corps volumineux et dur, comme le membre viril. 3° Elle ne porte pas d'autres traces de violence, non plus qu'aucune marque d'affection syphilitique ou autre, ancienne ou récente.

OBSERV. XVII. — *Tentative de viol et attentats répétés par un père sur sa fille. — Déchirure incomplète de l'hymen. — Déformation singulière.*

La jeune Maujean, âgée de treize ans, victime de son père, est très-petite et grêle pour son âge, non formée et présentant à peine un léger duvet sur le pubis.

L'hymen est déchiré, non pas d'une manière complète, mais vers l'extrémité droite où l'on voit un fragment rétracté qui forme une espèce de caroncule myrtiforme isolée. Le reste de l'hymen est refoulé, aminci, mais subsiste. L'orifice du vagin est en outre notablement élargi. Mais ni les dimensions du vagin ni l'écartement de ces lambeaux ne sont suffisants pour admettre même actuellement l'introduction complète du membre viril. Il n'y a d'ailleurs ni ulcération, ni écoulement, ni maladie quelconque. Santé générale non altérée, quoique peu robuste.

La jeune Meaujean est incomplétement déflorée.

Les désordres qui existent dans les organes génitaux ne peuvent être le produit de simples attouchements, ceux-ci excluant l'idée de violence et de déchirure, et n'ayant pu amener le refoulement de l'hymen.

Ils doivent être attribués à des tentatives répétées, mais incomplètes, d'intromission d'un corps plus volumineux que le doigt d'un enfant et analogue au membre viril.

Il est impossible de préciser exactement l'époque à laquelle remontent ces désordres ; mais on peut affirmer qu'ils sont anciens et peuvent répondre à la date assignée par la déclaration de l'enfant.

OBSERV. XVIII. — *Attentats à la pudeur répétés commis par un père sur sa fille. — Déformation des parties sexuelles. — Relâchement de la membrane hymen permettant, malgré son intégrité, l'intromission complète.*

Anne-Rose Pialut, âgée de quatorze ans et demi, d'un tempérament lymphatique, d'une constitution molle quoique en apparence assez bonne, présente un développement physique plus avancé que ne le comporte son âge. On remarque particulièrement que les seins sont assez volumineux, la poitrine et le bassin larges, développés, l'embonpoint assez considérable. Cependant cette jeune fille n'est formée que depuis un mois et a eu ses règles deux fois, les 8 et 30 juillet. Elle dit qu'il y a déjà longtemps qu'elle était devenue aussi forte qu'elle l'est actuellement. Ce développement précoce doit être attribué à l'excitation prolongée que des habitudes anciennes et avouées de masturbation ont dû produire dans les organes de la génération, et, par suite, dans la constitution de la jeune Rose Pialut. Depuis assez longtemps aussi, et même avant son séjour à Paris, qu'elle n'habite que depuis un an, la nommée Rose Pialut est sujette à des flueurs blanches continuelles qui paraissent même avoir augmenté sous l'influence des excès d'onanisme auxquels elle s'est livrée. Cette fille n'a d'ailleurs jamais eu aucune maladie depuis qu'elle est à Paris. Elle n'a suivi non plus aucun traitement pour l'écoulement leucorrhéique dont elle est atteinte. Les capsules dites de copahine-Mége, trouvées à son domicile, étaient, à ce qu'elle prétend, destinées à son père, qui, du reste, n'en faisait plus usage depuis longtemps.

Nous constatons que les organes génitaux sont dans l'état suivant.

Le pubis est couvert de poils assez abondants. Les parties génitales sont généralement flétries. Les grandes et les petites lèvres sont brunes et flasques ; celles-ci sont surtout développées outre mesure. La membrane hymen offre un relâchement considérable ; elle est, de plus, déformée et inégalement divisée par deux dépressions peu profondes entre lesquelles se trouvent des replis saillants en forme de tubercules. Cette disposition pourrait être prise pour une déchirure incomplète, si l'on ne remarquait que le bord libre de la membrane présente seul des échancrures dont les bords ne sont d'ailleurs ni boursouflés, ni rouges, ni enflammés, et ne présentent aucune trace d'excoriation, aucune cicatrice ancienne ou récente. Le petit doigt, introduit avec précaution dans le vagin, n'éprouve aucune constriction, et fait constater d'une manière directe la flaccidité et le relâchement de toutes ces parties qui, de plus, sont lubrifiées par l'écoulement d'une matière blanchâtre analogue à celle qui constitue les flueurs blanches.

Aucune ulcération, aucun gonflement n'existent à l'orifice de la vulve. On remarque seulement que les grandes lèvres et la partie interne et supérieure des cuisses sont le siége d'une affection particulière de la peau désignée sous le nom d'eczéma, et spécialement caractérisée par une forte rougeur et une éruption de petites vésicules dont la présence détermine une démangeaison des plus vives. Cette éruption nous paraît résulter de l'écoulement leucorrhéique habituel.

Conclusions : 1° La fille Anne-Rose Pialut ne présente pas les signes de la défloration. 2° La membrane hymen n'est ni déchirée ni rompue, mais présente un relâchement et une déformation ancienne, due, ainsi que la flétrissure observée, aux habitudes journalières d'onanisme avouées par la fille Rose Pialut. 3° Cette flaccidité des parties extérieures de la génération a pu rendre facile l'introduction du membre viril, sans qu'il en résultât une déchirure complète de l'hymen et des désordres nouveaux.

Appelé avec mon regrettable collègue, H. Bayard, à nous expliquer sur les conclusions du rapport d'un expert précédemment appelé, nous avons démontré qu'il n'y avait pas *rupture*, mais simplement *déformation* de la membrane hymen.

Nous ferons remarquer que s'il y avait eu déchirure et plaie récente remontant soit à deux, soit même à *huit ou dix jours*, on eût infailliblement trouvé les bords de cette plaie encore tuméfiés, rouges, incomplétement cicatrisés, surtout si l'on considère le retard qu'aurait nécessairement apporté à la cicatrisation le contact d'un liquide étranger, comme le sang des règles. Or, les termes mêmes du rapport montrent que rien de semblable n'existait.

Pour la quatrième conclusion, on ne peut déterminer, ainsi que le fait remarquer le docteur X..., la nature du corps volumineux introduit dans les parties génitales. Mais, par les motifs que nous avons ci-dessus exposés, il n'est pas impossible qu'il y ait eu intromission du pénis.

Dans la cinquième conclusion, M. X... admet que si la défloration n'a pu être opérée à l'époque du 31 juillet dernier, mais qu'elle remonte à une époque plus éloignée, cela n'implique point l'impossibilité d'un viol à l'époque ci-dessus. Or, nous avons établi dans notre rapport qu'il n'y avait pas eu, à proprement parler, défloration, c'est-à-dire rupture de l'hymen, mais simplement déformation de cette membrane; mais, du reste, d'après le caractère des désordres que M. X... lui-même a constatés, il n'était pas fondé à établir que le viol ait eu lieu plutôt avant le 31 juillet qu'à cette époque même.

Pour la sixième, nous n'avons pas trouvé non plus les signes d'une affection syphilitique; mais nous avons constaté d'une manière certaine, positive, un écoulement blanchâtre de flueurs blanches, qui, d'après la déclaration de cette fille, aurait lieu depuis longtemps. Les habitudes de masturbation avouées par elle en expliquent suffisamment la cause.

Enfin, nous pensons que les circonstances dans lesquelles l'examen a été fait par M. le docteur X..., c'est-à-dire la présence des règles, on dû rendre plus difficile une exacte appréciation des faits.

Observ. XIX. — *Attentats à la pudeur répétés par un père sur sa fille. — Rapprochements sexuels incomplets suivis de grossesse.*

Visite, le 2 juillet 1854, du nommé Delattre, accusé d'avoir rendu sa fille enceinte.

La conformation de cet homme est normale. Les actes qu'on lui reproche auraient consisté, au dire de sa fille, en approches répétées suivies de frottements contre ses propres parties et d'éjaculations. Ces rapprochements auraient eu lieu pendant plusieurs années de suite et un assez grand nombre de fois. Or, bien que la jeune fille n'ait pas eu la sensation d'une introduction complète, il est extrêmement vraisemblable que le membre viril a peu à peu refoulé les parties et pénétré d'une manière presque insensible au moins à l'entrée de la vulve. L'état des organes de la demoiselle Delattre n'ayant pas été constaté, on n'a pu vérifier quelle disposition affectait chez elle la membrane hymen, et l'étroitesse du vagin reconnue au moment de l'accouchement par M. le docteur Legrand n'a pu empêcher ce rapprochement incomplet mais direct et répété qu'avoue la jeune fille.

Or, ce seul fait suffit parfaitement pour expliquer la grossesse, la fécondation pouvant s'opérer dans des rapports sexuels incomplets, alors même que la défloration n'aurait pas eu lieu ; surtout, comme cela est arrivé dans le cas présent, lorsque des rapports ont été fréquents, répétés, et qu'ils se sont accomplis dans des conditions qu'il est permis de considérer comme faciles.

Bien que la conformation du nommé Delattre n'ait rien d'anormal, et l'état d'étroitesse constaté chez sa fille indiquant qu'elle n'a pas dû subir d'actes sexuels complets, les faits qu'elle impute à son père peuvent être l'unique cause de sa grossesse.

Observ. XX. — *Constatation de virginité. — Vice de conformation du vagin. — Déformation de la vulve.*

Visite de la femme Caroline Duffenbach, âgée de quarante et un ans, disant n'avoir jamais subi les approches d'un homme, contrairement aux allégations de l'inculpé X..., qui prétend avoir été son amant et explique ainsi des dons qui lui sont imputés comme des vols.

Cette fille est forte, brune et bien constituée. Le bassin est très-développé. Les parties extérieures de la génération tout à fait normales. Les grandes et les petites lèvres offrent des dimensions un peu exagérées. Elles s'ouvrent largement et laissent voir une sorte de vestibule infundibuliforme profond, à l'extrémité duquel est une sorte de bourrelet saillant formé par la membrane hymen percée au centre d'une ouverture à bords frangés dans laquelle on n'admet qu'avec peine l'extrémité du petit doigt. On constate aussi une étroitesse tout à fait anormale du vagin dont les parois sont contractées, rigides, et ne pourraient, dans aucun cas, admettre le membre viril le moins volumineux. La membrane muqueuse qui revêt l'intérieur de la vulve est le siége de quelques petites éraillures, et n'a pas l'aspect et la coloration qu'elle présente le plus ordinairement chez les femmes vierges. La fille Duffenbach déclare d'ailleurs que sa santé est régulière, qu'elle n'a jamais éprouvé de trouble dans la menstruation, et qu'elle n'a été atteinte d'aucune affection particulière des organes génitaux.

De l'examen qui précède, nous concluons que : 1° la fille C. D... présente un vice de conformation des organes génitaux qui ne lui permet pas l'accomplissement régulier de l'acte sexuel, mais qui ne s'oppose pas à l'intromission incomplète du membre viril ; 2° la membrane hymen n'a pas été détruite, mais elle est refoulée profondément, et cette circonstance, jointe à la déformation caractéristique des parties extérieures de la génération, indique que la fille C. D... peut, sans avoir été déflorée, avoir subi les approches d'un homme.

Observ. XXI. — *Attentat à la pudeur. — Déchirure partielle de l'hymen par l'introduction brusque du doigt.*

Adèle Nuvullais, quatorze ans et demi, visitée le 4 mai 1854, formée, mais très-peu développée, présente l'hymen non déchiré dans toute sa hauteur, comme cela a lieu par le fait de la défloration, mais perforé à sa partie inférieure au-dessous du bord libre qui a été respecté et forme une bride transversale au-devant de l'ouverture du vagin. Plaie circulaire, bords réguliers, rouges, violacés, en voie de cicatrisation. La fourchette a été déchirée superficiellement, ecchymose à son centre. — Non déflorée.

Déchirure des parties extérieures qui intéressent l'hymen, mais ne résulte pas de l'intromission du membre viril.

Cette lésion a été faite par des attouchements extrêmement violents et la perforation par la brusque introduction du doigt.

Observ. XXII. — *Attentat à la pudeur et viol commis sur deux petites filles. — Défloration complète. — Inflammation de la vulve et du vagin.*

Des déclarations que nous ont faites ces deux enfants, dont le récit concorde assez exactement, il résulte que du 25 au 26 août dernier, dans la soirée, le sieur Moreau les aurait attirées chez lui, et, après leur avoir donné à souper, les aurait décidées à se coucher toutes deux dans un lit, pendant que lui partagerait celui de son jeune fils. Il n'aurait pas tardé à venir les rejoindre, et, après quelques attouchements, il se serait approché d'abord de la jeune Goguet, sur laquelle il se serait étendu en s'efforçant de lui introduire le membre viril entre les jambes. Il l'avait quittée ensuite pour se porter sur la jeune Bouland, envers laquelle il aurait renouvelé sa tentative; mais il était revenu sur Léontine Goguet et ne l'aurait quittée que parce que son fils s'était réveillé. Elles ont prétendu toutes deux qu'il leur avait fait bien mal; mais aucune ne se rappelle exactement avoir été mouillée à la suite des mouvements que se donnait le sieur Moreau pendant qu'il était couché sur elles. La jeune Goguet croit pourtant se souvenir que sa compagne Mathilde en avait fait la remarque. Elles disent aussi que le lendemain quelques gouttes de sang se trouvaient sur les draps. Il paraît que ces enfants, n'osant pas rentrer chez leurs parents, revinrent plusieurs soirs de suite se réfugier encore chez l'homme qui les avait entraînées une première fois et qui, à ce qu'elles assurent, n'a cependant pas renouvelé ses infâmes attaques. Dans cet intervalle, elles ont été laver elles-mêmes au canal la chemise qu'elles portaient, afin d'en faire disparaître des taches jaunâtres qu'elles y avaient observées dès le lendemain du jour où elles avaient couché chez le sieur Moreau. Enfin les enfants furent rendues à leurs parents, qui ne tardèrent pas à s'apercevoir qu'elles étaient affectées toutes deux d'un écoulement vaginal.

L'examen individuel auquel nous avons soumis ces deux enfants, nous a donné les résultats suivants :

La jeune Mathilde Bouland, âgée de treize ans, est d'une assez bonne constitution, sa taille et en général son développement physique sont au-dessous de son âge. Elle n'est pas encore réglée, son teint est frais, sa santé en apparence bonne. Sa mère affirme qu'elle s'est toujours bien portée et qu'elle n'a jamais eu notamment aucun écoulement blanc. Chez cette enfant les parties sexuelles offrent un développement régulier, et commencent à se couvrir d'un léger duvet. Les petites lèvres sont allongées et débordent un peu les grandes lèvres. Lorsqu'on les écarte, on voit suinter entre les replis de la vulve une matière jaune verdâtre très-épaisse. La face interne des petites lèvres et la membrane muqueuse qui tapisse l'entrée du vagin ne sont pas uniformément rouges et enflammées, mais on voit sur le côté et surtout dans le pli profond que forment le pourtour de l'hymen et la paroi latérale du vagin, de petites plaques extrêmement rouges, gonflées, au milieu desquelles se remarquent de petites ulcérations superficielles recouvertes par une couche épaisse de mucus purulent. La membrane hymen n'est pas détruite, elle offre seulement un boursouflement assez notable de son bord libre et de sa face antérieure, sans déchirure ni déformation. Son ouverture naturelle, peut-être un peu élargie, ne l'est pas assez pour admettre même l'extrémité du petit doigt. La fourchette est intacte, le clitoris peu développé; le méat urinaire n'est pas enflammé. L'enfant ne se plaint d'ailleurs d'aucune douleur. Les ganglions de l'aine ne sont pas engorgés.

L'extérieur de la jeune Goguet, âgée seulement de douze ans et demi, contraste avec celui de sa compagne. Elle est pâle, son teint est fatigué et flétri, ses yeux caves et cernés. Elle n'est cependant pas plus développée que ne le comporte son âge, et n'est pas réglée. Sa mère déclare aussi qu'elle n'a jamais eu, à aucune époque, d'écoulement leucorrhéique. Les parties sexuelles ne sont pas garnies de poils ni même de duvet; elles ne sont pas anormalement développées. Avant même d'écarter les grandes lèvres, on voit la vulve baignée par une matière jaune verdâtre très-abondante, et qui rendrait toute exploration impossible si l'on ne faisait laver l'enfant. Il est facile alors de constater qu'il n'y a pas de rougeur vive et générale de la vulve ; les petites lèvres et l'entrée du vagin sont le siége d'une irritation peu aiguë, sans boursouflement, sans ulcération, sans aucune espèce de douleur. La membrane hymen est divisée dans toute sa hauteur en deux lambeaux qui forment de chaque côté deux replis assez larges, sinueux, comme froncés, fermant en partie l'orifice du vagin et agglutinés par la matière de l'écoulement, de manière à simuler une membrane hymen intacte. Ces replis, dont les bords ne sont pas plus vivement enflammés qu'elle, se laissent d'ailleurs facilement écarter et laissent voir l'ouverture béante du vagin dans laquelle le petit doigt pénètre sans difficulté, et d'où s'écoule, à la moindre pression, un mucus abondant. La fourchette est un peu rouge, sans déchirure ni ulcération. Il n'y a pas non plus d'engorgement des ganglions inguinaux.

Les chemises portées actuellement ou durant ces derniers jours par les filles Bouland et Goguet sont fortement tachées par l'humeur jaune verdâtre qui s'écoule de leurs parties sexuelles. Elle ne présente d'ailleurs rien qui mérite d'être particulièrement noté.

Des faits précédemment exposés, nous concluons que : *A*. En ce qui concerne la fille Bouland : 1° La défloration n'a pas eu lieu chez cette jeune fille. 2° Elle est atteinte d'une violente inflammation des parties extérieures de la génération avec écoulement vaginal abondant.

B. En ce qui concerne la jeune Goguet : 1° Cette jeune fille est déflorée. La membrane hymen est chez elle complétement divisée. 2° Elle est, en outre, affectée d'un écoulement de pus abondant qui se fait par le vagin.

C. En ce qui les concerne toutes deux : La nature de l'écoulement que présentent ces deux enfants paraît identique, et si l'on considère que le sieur Moreau, comme cela a été constaté, est actuellement affecté d'un écoulement blennorrhagique uréthral, il est extrêmement probable que la maladie des jeunes Bouland et Goguet leur a été communiquée par contact du sieur Moreau.

OBSERV. XXIII. — *Tentatives de viol. — Traces de violences graves.*

Visite, le 16 juin 1854, de la fille Foucher, victime d'une tentative de viol dans le cimetière du Père-Lachaise.

Dix-huit ans et forte, bien formée. Parties sexuelles, seins flétris, et pas de traces de violences à l'extérieur. Hymen non divisé, mais relâché, orifice élargi au point d'admettre même le pénis. Petite déchirure incomplète sur le bord libre avec prolongement d'une excoriation superficielle sur la fourchette. Pas d'écoulement ni d'inflammation.

Gonflement très-douloureux de la cuisse, qui est comme foulée par une dislocation de la hanche qui rend la marche très-pénible, presque impossible. Pas de traces apparentes de contusions. Douleur à la poitrine. Gonflement douloureux du cou. Pas déflorée, mais traces d'habitudes assez vicieuses, et violences manifestes et récentes datant de trois semaines au plus.

OBSERV. XXIV. — *Tentative de viol. — Suicide de la victime. — Traces de violence.*

Autopsie, le 1er mai, à la Morgue (avec le docteur Robertet), du cadavre de la fille Hublat, qui s'est jetée par la fenêtre dans la nuit du 29 au 30 avril 1849.

Jeune fille de grande taille, parfaitement conformée. Rigidité cadavérique très-prononcée. Pas de putréfaction.

La tête est le siége de fractures comminutives des os du crâne et de la face, et notamment des deux maxillaires, avec plaie. Déformation des traits. Écrasement du nez.

A la partie antérieure du col, au-devant du larynx, vers la base du sternum, on voit de nombreuses excoriations superficielles, dont deux surtout ont la forme exacte des ongles; au-dessous des téguments de cette région, il existe des ecchymoses disposées régulièrement de chaque côté du larynx et de la trachée, et formées par du sang coagulé qui pénètre jusque dans l'épaisseur des muscles. Ces ecchymoses, par leur situation profonde et par leur peu d'étendue, ainsi que par leur disposition régulière, n'ont pas évidemment été produites par la chute du corps; elles paraissent manifestement résulter de la pression du cou. En effet, elles sont très-distinctes d'ecchymoses et d'épanchements sanguins très-abondants qui existent sous la clavicule droite fracturée vers son extrémité acromiale. Les quatre côtes supérieures droites sont également brisées, et du sang est infiltré dans les parois de la poitrine. Les poumons sont sains; ils offrent seulement à leur surface quelques ecchymoses superficielles. Le cœur nage dans une grande quantité de sang liquide épanché dans le péricarde, et qui s'est écoulé par une rupture survenue à la jonction de l'auricule avec l'oreillette droite. Les ventricules sont vides et fortement revenus sur eux-mêmes.

Parois de l'abdomen intactes, si ce n'est à la partie inférieure gauche au niveau de l'épine iliaque antérieure et supérieure, où l'os brisé fait saillie à travers les téguments déchirés. Organes abdominaux à l'état normal, sans rupture ni épanchement. Estomac contenant une grande quantité de matières alimentaires, notamment de carottes incomplétement digérées.

Ecchymoses nombreuses sur le devant des jambes, sur les bras et l'avant-bras. Fracture du poignet gauche avec infiltration de sang considérable dans les muscles.

Les parties génitales extérieures sont bien conformées et assez développées. Les petites lèvres sont très-grandes, assez brunes : la petite lèvre droite a, à sa face interne, une petite excoriation peu profonde, linéaire, ressemblant à un coup d'ongle. Clitoris volumineux. Hymen complétement détruit. Orifice de la vulve, étroit, mais béant, et pouvant admettre le pénis. Caroncules myrtiformes tout à fait revenues sur elles mêmes. Matrice peu volumineuse, ne contenant pas de produit de conception, renfermant une grande quantité de mucosités filantes n'ayant pas l'odeur spermatique et qui sont recueillies entre deux lames de verre pour être examinées ultérieurement. Les parties voisines des organes génitaux sont le siége de lésions caractéristiques. La région hypogastrique présente un grand nombre d'excoriations superficielles transversalement placées, dont deux ont la forme des ongles. Au-dessous de ces excoriations, et dans le tissu cellulaire du mont de Vénus, on trouve des ecchymoses et une infiltration de sang coagulé. A la partie interne et supérieure des cuisses, des ecchymoses disposées régulièrement et présentant tout à fait l'empreinte des doigts, avec infiltration de sang sous-jacente.

Conclusions : 1° La mort de la demoiselle Hublat est le résultat des fractures du crâne et de la face, et de la rupture du cœur produites par la chute du corps, sans qu'il soit possible de déterminer si elle a été volontaire ou involontaire. 2° Le cadavre présente en outre sur les cuisses et autour des parties sexuelles des traces de contusions ou de pressions exercées avec les mains, et qui paraissent indiquer que la mort a été précédée d'une tentative de viol. 3° Néanmoins la défloration n'est pas récente. La demoiselle Hublat n'a pas eu d'enfants, mais elle a cessé depuis longtemps d'être vierge. 4° On trouve encore autour du larynx et de la trachée des ecchymoses et des excoriations résultant d'une forte pression exercée sur le col.

Examen des matières recueillies lors de l'autopsie dans la matrice et les organes sexuels de la demoiselle Hublat, placées entre deux lames de verre et mises sous scellé. Portion demi-liquide; portion desséchée. La liqueur ne contient pas la plus petite quantité de sperme. Elle est uniquement formée de mucus, et analogue à la matière qui humecte la surface intérieure des parties génitales chez la femme. Il est permis d'affirmer que la demoiselle Hublat n'a pas eu à subir complétement l'acte du coït au milieu des violences commises sur sa personne quelques instants avant qu'elle se donnât la mort.

Examen de l'inculpé Dauban, le 2 mai. Le sieur Dauban nie toute espèce de violence et de lutte : il avoue avoir fait des attouchements sur les parties où l'on a trouvé des ecchymoses à l'autopsie de la demoiselle Hublat. Il aurait introduit le pénis de 5 centimètres seulement, ce qui est plus que suffisant pour qu'il y ait eu défloration complète.

Examen de toutes les parties du corps.

La tête, le col, le tronc, les membres inférieurs, les organes génitaux, ne présentent aucune trace de contusions, de plaies ou de violences quelconques, récentes ou anciennes. Sur les membres supérieurs nous constatons : à la main droite, d'une part, à la base du pouce, et d'une autre part, à la face palmaire du petit doigt, deux petites excoriations très-superficielles, très-peu étendues, qui peuvent remonter à trois ou quatre jours. Les ongles des deux mains sont remarquables par leur longueur et leur forme acérée.

A l'avant-bras, du côté gauche, sur le bord externe du membre, un peu au-dessus du poignet, il existe cinq empreintes bleuâtres d'une teinte encore peu marquée, superposées les unes aux autres, et disposées très-régulièrement, suivant une ligne courbe à concavité antérieure. Celle de ces empreintes qui est la plus rapprochée du poignet est plus large et plus apparente que les autres. Ces traces paraissent résulter d'une forte pression exercée sur l'avant-bras par les doigts réunis, et être produites par des ecchymoses sous-cutanées qui deviendront sans doute plus visibles dans quelques jours, à mesure que le sang épanché pénétrera en se résorbant les couches les plus superficielles de la peau.

CONCLUSIONS : 1° L'inculpé Dauban porte à la main droite deux petites excoriations de date récente, pouvant résulter d'une lutte, mais trop peu caractérisées pour que l'on doive les attribuer avec certitude à cette cause. 2° Il présente en outre à l'avant-bras gauche des traces d'ecchymoses pouvant remonter à trois jours, et que leur disposition, leur forme, tous leurs caractères, indiquent comme ayant été produites par la pression violente de la main qui serre le bras avec force ou qui cherche à l'éloigner et à le retenir, comme il arrive dans une lutte. 3° Il n'existe pas d'autres traces de contusions ou de blessures récentes sur les différentes parties du corps de l'inculpé Dauban.

OBSERV. XXV. — *Viol. — Défloration complète sur une petite fille de douze ans.*

Joséphine Chaumet, âgée de douze ans, est une enfant bien conformée, d'une bonne constitution, et dont le développement physique n'est ni au-dessus ni au-dessous de son âge. Ses traits sont réguliers, sa physionomie agréable : son visage a de la fraîcheur et toutes les apparences de la santé ; ses yeux ne sont pas cernés. Cette enfant paraît très-intelligente et d'un esprit très-ouvert ; ses réponses sont remarquables par une grande convenance et une invariable précision. Les expressions dont elle se sert contrastent par leur retenue avec les tristes détails dans lesquels elle est forcée d'entrer ; et son récit, loin d'annoncer une dépravation naturelle, ne montre qu'une science malheureusement trop précoce, mais qu'elle déplore et dont elle a honte. Voici d'ailleurs en résumé les faits tels qu'ils ressortent des réponses que nos nombreuses questions ont provoquées.

Le sieur Carré, qui vit en concubinage avec la mère de Joséphine, profitant des instants où il se trouvait seul avec cette enfant, qui, il y a un an à peu près, demeurait chez sa mère, l'attira à plusieurs reprises vers lui et, après lui avoir fait des caresses et d'indignes attouchements, alla, suivant l'expression de la jeune Chaumet, jusqu'à « lui faire des choses qui n'étaient pas à faire. » Pressée par nous de s'expliquer, elle avoue que le sieur Carré, la couchant sur son lit, lui mit son affaire entre les cuisses et poussa avec force en s'agitant vivement. L'enfant cherchait à se dégager et poussait des cris que firent taire les menaces de Carré. Ces actes se renouvelèrent à plusieurs reprises pendant l'espace de deux à trois mois. La première fois Joséphine vit ses parties et ses vêtements tachés de sang; depuis, bien qu'elle souffrît encore, elle remarqua seulement que sa chemise était souillée par une liqueur blanchâtre. Elle se décida à confier à sa mère ce qui s'était passé, et Carré, l'ayant appris, renouvela ses menaces et les mit même à exécution en lui reprochant de faire comme sa sœur aînée, qui avait eu apparemment aussi à se soustraire à de pareilles tentatives. Depuis cette époque la jeune Chaumet a ressenti à plusieurs reprises de la difficulté à marcher et de la cuisson, de la douleur en urinant. Ayant quitté la maison de sa mère, elle fut mise en apprentissage chez un sieur Guillot, fabricant de jouets d'enfants. Cet homme se porta aussi sur elle à des actes infâmes, qui n'allèrent cependant pas jusqu'à des tentatives de coït. Étant pris de vin, il se montra à elle dans un état de nudité complète, l'embrassa et lui mit le doigt dans les parties les plus secrètes du corps. C'est après cette scène qu'elle quitta cette maison et se réfugia chez son frère, de la conduite duquel elle a toujours eu à se louer, et dont elle ne se serait jamais séparée, s'il n'avait eu le malheur de perdre récemment sa femme. Joséphine Chaumet affirme qu'elle n'a jamais eu aucun rapport avec des petits garçons de son âge, et qu'elle ne s'est jamais livrée, soit avec ses compagnes, soit seule, à aucun attouchement indécent ; elle aurait, dit-elle, été prémunie contre cette funeste habitude par les conseils de son frère, et la terreur salutaire qu'il lui a imprimée. Elle ajoute qu'elle a un vif regret d'être trop instruite et d'avoir appris de ses corrupteurs, qui ne lui ont rien caché, la manière de faire des enfants. A part les douleurs peu durables qu'elle a éprouvées à la suite des violences de Carré, elle n'a ressenti aucun autre accident, et notamment n'a été sujette à aucun écoulement leucorrhéique. M. le directeur de l'hospice des Enfants trouvés, qui ignorait d'ailleurs les raisons qui avaient motivé le dépôt de la jeune Chaumet, nous a déclaré que sa conduite, depuis trois semaines qu'elle est dans l'établissement, était bonne et qu'on n'avait remarqué en elle aucune mauvaise habitude : on a été frappé seulement de la finesse et du développement précoce de son intelligence. Elle n'a pas été soumise à la visite des médecins ou chirurgiens de l'hospice.

Après avoir recueilli ces divers renseignements, nous avons examiné avec le plus grand soin toute la surface du corps et particulièrement les parties sexuelles de la jeune Joséphine. Il n'existe nulle part aucune trace de violence, de plaie ou de contusion, soit ancienne, soit récente. Quant aux parties génitales externes, elles se présentent dans l'état suivant. Elles sont généralement très-développées et très-ouvertes. Les grandes lèvres s'écartent largement, surtout à la partie postérieure, et laissent voir l'orifice vulvaire très-dilaté. La fourchette est déprimée, mais sans déchirure. La membrane hymen, incomplétement déchirée, forme deux lambeaux que l'on écarte facilement et qui, en se séparant, laissent voir béant l'orifice du vagin. Les replis de la membrane divisée sont sinueux et irrégulièrement cicatrisés. Ils sont, ainsi que la membrane muqueuse qui tapisse l'entrée de la vulve, assez rouges, boursouflés et sensibles au toucher. Il n'y a d'ailleurs ni écoulement, ni excoriation récente, ni ulcération. La lésion de la membrane hymen, indépendamment de l'infiltration légère et chronique dont elle est le siége, n'offre pas les caractères d'une déchirure nouvelle.

De tous les faits et de l'examen qui viennent d'être exposés, nous concluons que : 1° La jeune Joséphine Chaumet porte les traces d'une défloration qui remonte à une époque impossible à préciser, mais non récente; 2° outre la déchirure de la membrane hymen, l'état des parties génitales externes, la dilatation de l'orifice vulvaire, démontrent qu'il y a eu introduction forcée d'un corps dur et volumineux comme pourrait être le pénis en érection; 3° il n'existe chez cette enfant aucune trace d'un écoulement spécifique ou d'une maladie communiquée.

Observ. XXVI. — *Viol. — Défloration complète. — Signes encore apparents après trois semaines.*

Visite de la jeune Octavie Patou, âgée de dix-sept ans et demi.

Le 21 juin dernier, l'inculpé s'étant précipité sur elle, elle avait d'abord été jetée la face contre terre, mais il l'avait relevée lui-même en lui saisissant et lui maintenant les bras avec force; enfin, la renversant sur le dos et pendant qu'elle était étendue sur des planches qui tenaient le col et la partie supérieure du tronc un peu élevée, vive douleur, écoulement de sang. Ne s'est pas aperçue que son corps ou ses vêtements aient été souillés par un autre liquide. Depuis ce jour, une époque menstruelle a passé sans que ses règles aient paru, d'où crainte de grossesse. Détails donnés sans hésitation, avec simplicité.

Taille assez élevée. Constitution délicate et hors d'état de soutenir une lutte avec l'homme même le moins vigoureux. Bonne santé. Pas de marque d'affection constitutionnelle scrofuleuse ou autre. Parties sexuelles bien conformées. Grandes et petites lèvres fermant complétement l'entrée du vagin, qui est profondément situé. Rigidité et apparence de fraîcheur de toutes ces parties excluant toute idée d'habitudes solitaires ou de dépravation précoce. Orifice du vagin très-étroit. Rougeur vive de la face interne des petites lèvres. Hymen présentant à sa partie moyenne et un peu à droite une déchirure profonde, qui s'étend presque jusqu'à la fourchette. Les deux bords de la plaie sont irrégulièrement cicatrisés. Il existe notamment à gauche un bourrelet saillant. L'hymen ainsi déchiré forme de chaque côté un repli qui n'est nullement rétracté, ce qui prouve que le coït n'a pas été répété. Injection très-forte et rougeur de toutes ces parties. Pas d'écoulement, soit sanguin, purulent ou muqueux. Pas d'ulcérations. Léger engorgement des ganglions de l'aine, surtout à gauche.

Ni à la partie inférieure du ventre, ni dans la région des reins, ni sur les cuisses, ni sur les jambes, aucune trace de contusions récentes ; mais sur les membres supérieurs et sur le haut du corps marques de violences tout à fait caractéristiques.

Avant-bras droit : à la partie moyenne et le long du bord interne, cinq ecchymoses d'une couleur jaune verdâtre disposées très-régulièrement suivant une ligne courbe à concavité tournée en avant et paraissant manifestement résulter d'une pression très-violente exercée avec la main. Du côté gauche, au-dessus du poignet, il existe également en avant et en arrière une double ecchymose en tout semblable aux précédentes. A la base du col, en arrière et entre les deux épaules, une trace moins apparente et presque entièrement effacée d'une ecchymose étendue transversalement. Au niveau de l'épaule droite, longue excoriation recouverte d'une croûte légère paraît de date plus récente que les ecchymoses.

Traces de contusions non indiquées par la jeune Octavie, qui n'en soupçonnait pas même l'existence. Elles avaient pu d'ailleurs échapper à un premier examen, les ecchymoses devenant plus apparentes à mesure que leur résolution s'opère.

1° La jeune Octavie porte les traces d'une défloration récente, caractérisée par la déchirure complète de la membrane hymen et remontant à trois semaines environ. 2° Cette déchirure est le résultat de l'intromission forcée et complète d'un corps dur et volumineux, comme le membre viril. 3° Les traces de contusions multiples qui existent sur les membres supérieurs et qui, par leur nature et par leur siége, sont l'indice manifeste d'une lutte, semblent démontrer que la défloration doit être attribuée à un viol.

Observ. XVII. — *Viol. Défloration complète sans rétraction des lambeaux.*

Visite de la jeune Vilmé, seize ans, violée par Couturier. Bonne constitution. Organes bien conformés. A la face interne des petites lèvres une rougeur vive, indice d'une irritation qui persiste encore à un certain degré, mais sans ulcération ni écoulement. Hymen complétement déchiré dans toute sa hauteur. Fourchette elle-même entamée. Elle présente actuellement une rougeur inflammatoire due à la cicatrisation récente de la partie divisée. Lambeaux n'ayant subi aucune rétraction, mais non réunis et laissant l'ouverture du vagin assez largement ouverte pour admettre le membre viril. Il n'existe sur les cuisses et aux environs des parties sexuelles, non plus que sur les bras, aucune trace de violences.

1° La jeune Vilmé a été complétement déflorée. 2° La défloration est récente et remonte à quelques jours seulement. 3° L'état des parties sexuelles démontre que, si l'acte du coït a été commencé, il n'a pas été répété et qu'il n'y a pas chez la jeune Vilmé d'habitudes de débauche. 4° Il n'existe aucun signe d'affection vénérienne ancienne ou récente. 5° Sur le bas de la chemise taches de sperme et de sang provenant du contact de l'hymen déchiré.

OBSERV. XXVIII. — *Viol suivi d'une grossesse sans rétraction des lambeaux.*

La jeune Besche, âgée quinze de ans, réglée à treize, est grande et fortement développée. Examinée par moi le 8 avril 1859, elle est enceinte de cinq à six mois. La vulve est saillante, large, et de couleur violacée, comme à cette époque de la grossesse. Appelé à rechercher si elle porte les traces d'une débauche habituelle et si au contraire elle n'a subi l'approche d'un homme que lors de la défloration qu'aurait immédiatement suivie la grossesse, nous constatons que l'ouverture du vagin est très-étroite et presque complétement fermée par la membrane hymen divisée dans toute sa hauteur, mais dont les lambeaux n'ayant subi aucune rétraction, sont restés accolés l'un à l'autre. Au premier abord la membrane hymen semblerait intacte. Quant au vagin lui-même, il est très-peu dilaté et très-rétréci. — Les seins très-développés par le fait de la grossesse offrent une absence totale de développement des mamelons qui sont comme chez une jeune fille pubère non déflorée.

La fille Besche est enceinte de près de six mois, mais l'état des parties sexuelles et des seins indique de la manière la plus positive que cette jeune fille n'a pas eu de rapports fréquents avec des hommes, et que la grossesse peut, comme elle le déclare, être le résultat d'une seule approche dans laquelle aurait été opérée la défloration.

OBSERV. XXIX. — *Viol. Défloration complète. Fausse allégation de sommeil magnétique.*

Visite de la jeune Élisa Beaujard. Seize ans. Formée depuis deux mois. Jamais de relations avec d'autres hommes que l'accusé Delors. Reproduit le récit d'expériences magnétiques tentées sur elle, sur les effets qu'elle ressentait, explications contradictoires, embarrassées, imposture ; prétend sentir aux mains et nulle part ailleurs. Elle reconnaît pourtant qu'elle a éprouvé une sensation nullement agréable et même douloureuse lorsque le sieur Delors la tenait sur ses genoux. La position qu'elle indique est d'ailleurs complétement en désaccord avec le fait. Elle ne tarde pourtant pas à revenir à la vérité, et dit qu'elle était sur une chaise. Elle avoue avoir eu conscience de ce qui s'est passé et s'être sentie mouillée. Confesse en outre que l'acte n'a pas été unique et s'est répété une huitaine de jours plus tard dans l'établissement d'un marchand de vins, où le sieur Delors l'avait conduite et sans qu'il ait recours cette fois à sa jonglerie magnétique.

Développement physique avancé ; présente tous les signes de la puberté ; paraît d'une bonne constitution. Santé, au dire de la femme Valade, affaiblie, énervée ; sommeil léger et troublé. Principales fonctions régulières. Elle avait ses règles quand elle est entrée chez elle.

Les parties sexuelles de la jeune Beaujard sont bien conformées. L'aspect de la vulve n'implique pas un long commerce avec les hommes, ni des habitudes de débauche. Membrane hymen déchirée dans toute sa hauteur. Lambeaux non rétractés, ferment encore presque complétement l'entrée du vagin, qui n'est pas notablement élargie et qui n'admet qu'avec quelque difficulté l'extrémité du doigt indicateur. Parties lubrifiées par une matière séreuse peu abondante et blanchâtre ; une légère rougeur se remarque à la fourchette. Pas d'inflammation. Bords de l'hymen cicatrisés. Pas de lésion autre. Pas d'affection vénérienne ancienne ou récente.

1° La jeune Élisa Beaujard est déflorée. 2° La défloration est complète ; sans être toute récente, elle ne remonte pas à une époque très-éloignée, et très-probablement pas au delà de quelques semaines. 3° L'état des parties sexuelles, et notamment la non-rétraction des lambeaux de la membrane hymen et l'étroitesse du vagin, indiquent d'une manière certaine que la jeune Beaujard n'a subi qu'un petit nombre de fois les approches d'un homme et n'était pas livrée à des habitudes de débauche. 4°. L'état constaté chez la jeune Élisa Beaujard ne peut en aucune façon être attribué à des manœuvres exercées par la jeune fille sur elle-même. 5° Les allégations de cette jeune fille, relatives au sommeil magnétique dans lequel elle a prétendu avoir été plongée, pendant qu'elle était l'objet des violences de l'inculpé, sont contradictoires et notoirement fausses.

Observ. XXX. — *Viol. Défloration complète. Rétraction des lambeaux de l'hymen.*

Visite à Aubervilliers de la jeune Marie Boucher, victime d'un viol de la part de son père, Boucher, dit Marteau, journalier.

Jeune fille de quinze ans, réglée depuis deux ans. Bonne constitution, attributs de la nubilité. Parties sexuelles bien conformées, régulièrement et complétement développées. Poils encore peu abondants. Vulve souillée de sang menstruel. Pas de traces de violences ni déchirures. Hymen détruit complétement ; ses débris rétractés forment de chaque côté un repli de quelques millimètres, dont les bords amincis et mousses ne sont le siége d'aucune solution de continuité, d'aucune cicatrice récente. L'orifice du vagin est largement ouvert et suffisamment dilaté pour admettre sans résistance le membre viril. Pas de maladie vénérienne.

Ni sur les bras, ni sur les mains, ni sur les cuisses ou autour des parties, ni sur les seins ou la face, aucune ecchymose ou plaie résultant de violences ; aucun indice de lutte.

A la suite de notre examen, et en présence de sa mère, la jeune Marie Boucher, pressée de questions par nous, a confessé que, ainsi que nous l'avions reconnu, elle a eu à une époque déjà assez éloignée des relations avec des jeunes gens du pays.

1° La jeune Marie Boucher a été déflorée. 2° La défloration est complète; elle remonte à plusieurs mois, et l'état des parties génitales indique que les rapprochements sexuels ont eu lieu à plusieurs reprises. 3° Il n'existe sur aucune partie du corps de traces de violences ou d'indices d'une lutte récente. 4° Les vêtements ne présentent non plus aucune lacération que l'on puisse rapporter à une rixe. La chemise est souillée par le sang menstruel de telle sorte qu'il est impossible d'y reconnaître à la simple vue des taches d'une autre nature

OBSERV. XXXI. — *Viol. Défloration complète. Rétraction des lambeaux de l'hymen. Maladie syphilitique communiquée.*

Visite de la jeune Huet, âgée de treize ans. Forte quoique de petite taille et peu développée pour son âge. Intelligence extrêmement bornée. Donne très-peu de renseignements. Le sieur Macé l'aurait prise debout contre un mur.

Parties sexuelles très-développées eu égard à la constitution et à l'âge de la jeune Huet, qui n'est pas encore réglée. La grande lèvre du côté droit est le siége d'un gonflement encore assez marqué et présente une teinte violacée. Il n'y a plus d'ulcérations à la face interne, mais on y voit une cicatrice récente. La membrane hymen est complétement détruite ; ses débris sont à peine apparents, tant la rétraction des lambeaux est considérable. Entrée de la vulve largement ouverte, fourchette fortement déprimée. Pas d'écoulement vaginal. Pas d'autre signe d'affection vénérienne, soit ancienne, soit récente, autre part que sur les grandes lèvres du côté droit.

Visite du nommé Macé. A noter l'exiguïté de sa taille, qui a pu faciliter le mode de rapprochement indiqué par la jeune Huet, et lui permettre de faire violence à cette enfant en la maintenant debout contre un mur. Il reconnaît avoir été atteint, vers le mois de décembre dernier, d'une affection syphilitique pour laquelle il a été traité à l'hôpital du Midi, et qui consistait en ulcérations et en plaques muqueuses disséminées dans l'aine et à la partie interne et supérieure de la cuisse droite, ainsi qu'au pourtour de l'anus et du périnée. Il affirme n'avoir eu à la verge ni chancre ni écoulement. Nous constatons qu'il n'est actuellement affecté d'aucun mal vénérien, mais qu'il porte des cicatrices caractéristiques dans les régions qu'il a lui-même indiquées, cicatrices qui peuvent remonter à l'époque déjà mentionnée. Le membre viril, de petite dimension, ne présente d'ailleurs rien à considérer de particulier.

1° La fille Ad. Huet a été complétement déflorée. 2° La complète destruction et la rétraction des lambeaux de la membrane hymen, ainsi que l'élargissement de l'orifice du vagin, démontrent que l'intromission d'un corps dur comme le membre viril n'a pas eu lieu seulement une fois, mais a été répétée à plusieurs reprises. 3° Cette jeune fille porte en outre les traces d'une affection vénérienne récente, évidemment communiquée par le contact d'une personne infectée. Cette maladie est aujourd'hui presque complétement guérie. 4° L'acte coupable commis sur la fille Huet a pu être consommé complétement dans la position où elle prétend s'être trouvée, c'est-à-dire debout, surtout par un homme de très-petite taille comme est l'inculpé Macé. 5° Le nommé Macé porte les traces d'une maladie syphilitique récente, dont la nature est tout à fait analogue à celle dont a été atteinte la jeune Huet. 6° Le siége des ulcérations qu'a présentées l'inculpé Macé répond de plus très-exactement à celui des chancres qui ont été observés chez la fille Huet. C'est en raison de ce siége que le chirurgien qui a donné ses soins à cette enfant a pu croire que le contact impur avait été borné aux parties génitales externes. Mais le membre viril, n'offrant aucune lésion chez le sieur Macé, a pu être introduit complétement dans les parties sexuelles de la fille Huet sans y déterminer d'autres désordres que ceux que nous y avons constatés.

Observ. XXXII. — *Viol datant de quatre jours. Défloration complète. Renversement des lambeaux. Signes de violence. Taches.*

La fille Zélie, violée le 8 février 1859, vers huit heures du soir, a été visitée par moi le 12 à midi. Agée de dix-neuf ans, de très-petite taille et d'une constitution très-peu robuste, d'ailleurs parfaitement nubile et depuis longtemps réglée. A eu sa dernière époque vers le 20 du mois dernier. Les parties sexuelles de cette jeune fille sont très-bien conformées; elles offrent à l'extérieur toutes les apparences de la meilleure santé et des habitudes les plus sages. Les grandes lèvres écartées laissent voir la membrane hymen complétement déchirée dans toute sa hauteur, formant quatre lambeaux, renversés en dehors et nullement rétractés. Les bords de cette double déchirure ne sont pas encore cicatrisés ; ils présentent un peu de gonflement, une assez vive rougeur et une surface ulcérée, recouverte d'une légère exsudation purulente. L'orifice du vagin est béant et laisse suinter une liqueur légèrement visqueuse, incolore, qui atteste un commencement d'irritation de la muqueuse vaginale. La fourchette n'a pas été déchirée. Une assez vive douleur existe dans les aines et surtout à gauche par suite de l'écartement forcé des cuisses. En arrière on voit sur la fesse droite une large excoriation superficielle et déjà séchée, qui a la forme d'un coup d'ongle, à la face interne du genou gauche, la peau a été froissée et conserve une teinte bleuâtre un peu violacée. Sur la cuisse du même côté existe une longue égratignure. La poitrine qui a été fortement comprimée, est douloureuse dans la région épigastrique, on y remarque d'ailleurs pas d'ecchymoses, les seins n'en offrent pas non plus. Les poignets présentent des traces de violences plus marquées. Du côté gauche une large empreinte bleuâtre occupe la face antérieure de l'avant-bras et atteste une forte pression bornée sur cette partie. A droite le poignet a été foulé et une petite tumeur s'est formée au niveau de l'articulation sur l'avant-bras et sur la main. De ce côté on voit deux longues égratignures récentes.

Chemise d'une grande malpropreté; sur les deux pans, en avant et en arrière, nombreuses taches de sang d'une teinte pâle, très-peu épaissies, de forme irrégulière, et faites par essuiement de la surface ensanglantée. Une tache verdâtre de matière fécale. Sur le pan de derrière trois taches plus régulièrement arrondies de 6 à 8 centimètres, d'une teinte grisâtre et d'une consistance fortement empesée. Nombreux spermatozoaires.

La fille Zélie D... est déflorée.

La défloration est complète et toute récente, ne remontant pas au delà de quatre jours.

L'état des organes indique que la fille D. n'était pas livrée à la débauche ou à de mauvaises habitudes.

Il existe sur les membres et sur diverses parties du corps des traces non équivoques de violences récentes.

La chemise que portait la fille D. le jour de l'attentat dont elle a été victime, présente des taches de sang résultant du contact de la membrane hymen déchirée et des taches manifestement formées par du sperme.

Observ. XXXIII. — *Viol. Défloration complète. Renversement des lambeaux de l'hymen.*

Visite, le 21 septembre 1850, de la jeune Hermance Voiturier, âgée de douze ans et demi. Violée depuis trois mois par le nommé Lande, qui l'a prise huit ou dix fois.

Intelligence peu développée. Organes sexuels bien conformés. Poils assez abondants. Vulve largement ouverte. Membrane hymen complétement divisée, lambeaux rétractés et renversés en dehors, formant de chaque côté un repli muqueux très-étroit, et ne se réunissant qu'à la base, au niveau de la fourchette, où l'on distingue un épaississement caractéristique, résultat d'une cicatrice assez récente. L'orifice du vagin est assez dilaté pour admettre sans difficulté l'extrémité du doigt indicateur. L'enfant n'accuse aucune douleur durant cette exploration. Les parties ne sont le siége d'aucune inflammation, et ne présentent ni rougeur anormale ni écoulement. Pas de traces de violences sur le corps.

1° La jeune Voiturier a été complétement déflorée. 2° La défloration remonte à plus d'un mois. 3° L'état des parties montre que cette jeune fille a eu à subir plusieurs fois les approches d'un homme.

Observ. XXXIV. — *Viol. Défloration complète. Troubles de la santé générale.*

Visite, le 24 novembre 1853, de la jeune Prévost, violée le 9 courant, âgée de dix-sept ans. Bien développée, nubile. Bonne conformation; non flétrie par la débauche. Hymen déchiré dans toute la hauteur; lambeaux non rétractés, flottant devant l'orifice du vagin qui, à peine entr'ouvert, n'admet que difficilement l'extrémité du petit doigt. Ni dilatation de la vulve, ni élargissement de l'anneau du vagin. Bords de la membrane hymen déchirés irrégulièrement et présentant à gauche surtout une vive rougeur. Il n'y a ni écoulement ni ulcération de nature vénérienne ou même simple inflammation. On ne trouve pas non plus de traces actuellement appréciables de contusions ou d'ecchymoses, qui auraient pu du reste s'effacer depuis l'époque où les violences auraient été exercées sur la personne de la jeune Prévost.

Nous devons ajouter que cette jeune fille se plaint de douleurs d'estomac, de troubles du système nerveux et de la santé générale, qui peuvent être le résultat des violences dont elle aurait été victime.

1° Fille Prévost complétement déflorée. 2° La défloration est récente et ne remonte qu'à quelques jours, à l'époque assignée par la fille Prévost. 3° L'état des parties sexuelles indique d'une manière certaine que la défloration est le résultat d'une violence isolée et qu'elle n'a pas été suivie d'actes successifs et répétés.

Observ. XXXV. — *Viol. Défloration complète. Troubles de la santé générale.*

Visite, le 22 août 1851, de la jeune Keller, dix-sept ans, victime d'un viol il y a deux ans. Santé très-altérée, larmes. Souffrances remontant à l'époque du viol. Inflammation chronique. Écoulement, douleur. Ulcération en partie cicatrisée. Membrane hymen complétement déchirée dans toute sa hauteur, lambeaux non rétractés, bords cicatrisés. Entrée du vagin très-étroite. Anus non déformé, ni élargi.

1° Complétement déflorée. 2° Défloration ancienne, non suivie d'actes répétés de coït. Violences non renouvelées. 3° Rien n'indique la pédérastie consommée. 4° Sous l'influence des violences, la santé est restée profondément altérée, et il est à craindre qu'elle n'en ressente pour toujours les funestes conséquences.

Observ. XXXVI.— *Viol suivi d'assassinat sur une femme âgée de soixante-huit ans. Blessures profondes.*

Autopsie à Passy de la femme Ebenbauer trouvée morte dans un champ. Soixante-huit ans, très-décrépite. A la tête, autour de la bouche, large excoriation avec ecchymose résultant d'une forte pression exercée par la main pour fermer la bouche. Au cou ecchymoses profondes de chaque côté du larynx. Injection et exhalation de sang dans les voies aériennes. Cœur contenant du sang noir tout à fait fluide. A la tête aucune lésion. Infiltration de sérosité dans les méninges. Pas d'apoplexie. Viscères abdominaux sains. Estomac rétréci, à plis de la muqueuse. Injection vive. Une petite quantité de liqueur alcoolique.

Organes génitaux : Vulve très-largement ouverte, à admettre presque la main, laisse écouler du sang très-abondant. A l'entrée du vagin, plaies, déchirures profondes par des ongles enfoncés. Mamelon gauche complétement arraché avec les dents. Plaie irrégulière. Infiltration de sang profonde.

Observ. XXXVII. —*Viol suivi d'assassinat. Attentats à la pudeur commis sur six petites filles.*

Autopsie à Auteuil, le 8 juillet 1850, de la jeune Allier, treize ans, fortement constituée, embonpoint assez notable, parfaitement conformée. Putréfaction déjà fort avancée, a envahi surtout la tête, la partie antérieure de la poitrine et du ventre. Les mains et les pieds, dont l'épiderme est légèrement blanchi et plissé à l'extrémité des doigts, présentent en outre dans la rainure des ongles une petite quantité de graviers et de vase. Il n'y a ni plaie ni excoriation sur les mains. Sur les bras et particulièrement à la partie antérieure, au-dessus du poignet, on trouve plusieurs ecchymoses superposées, dirigées transversalement, et résultant d'une pression violente exercée sur les membres supérieurs.

La face est souillée par un liquide brunâtre et sanguinolent, qui s'est écoulé de la bouche et des narines. Après l'avoir lavée avec soin, nous constatons autour de la bouche une large excoriation avec ecchymoses, et l'impression d'ongles enfoncés dans les chairs. Deux marques semblables existent au-dessous de l'œil droit, dont la paupière inférieure est assez fortement contuse. Outre ces traces de violences, qui ont été manifestement faites pendant la vie, on remarque sur le visage de nombreuses déchirures ponctuées sans rougeur, sans ecchymoses, avec simple dessèchement de l'épiderme et produites par le frottement du corps inanimé sur le sable. Les téguments du crâne sont infiltrés de sérosité sanguinolente, qui s'est accumulée par un effet cadavérique. Les os sont intacts. Les enveloppes et la substance même du cerveau ne sont le siége d'aucune altération.

La région du cou est le siége d'une congestion sanguine considérable. Une infiltration de sang coagulé existe de chaque côté du larynx. Les téguments sont envahis par la putréfaction à un degré trop avancé pour qu'on y distingue des traces de contusions ou des ecchymoses. L'intérieur de la trachée et des bronches contient une petite quantité d'un liquide trouble, brun, non spumeux, mélangé à quelques graviers. Les poumons sont gorgés de sang, surtout à la partie postérieure. Le cœur est complétement vide et ne contient ni sang liquide, ni caillots.

Les viscères abdominaux sont à l'état normal. L'estomac est vide; il ne renferme pas même une cuillerée de liquide, mais seulement quelques parcelles de fromage blanc encore adhérentes à la paroi interne du viscère. Des matières fécales distendent le tiers inférieur de l'intestin grêle.

Les organes génitaux sont assez développés. Quelques poils commencent à ombrager le pubis et les grandes lèvres. Le clitoris n'est pas volumineux et n'a pas les dimensions exagérées que lui donnent ordinairement les mauvaises habitudes. Lorsque les grandes et les petites lèvres sont écartées, on voit que la vulve est largement ouverte. L'hymen est en partie déchiré; la solution de continuité s'étend dans les deux tiers de sa hauteur du bord libre à la base; les lambeaux n'ont subi aucune rétraction. Toutes ces parties imbibées par l'eau sont blafardes. La plaie ni l'hymen ne présentent pas de traces de cicatrisation commençante. Il n'y a pas d'autre lésion aux parties sexuelles. La surface interne de la matrice est le siége d'une forte congestion.

CONCLUSION. 1° Le corps de la jeune Allier porte les traces d'une défloration incomplète et récente, et de violences exercées sur sa personne pour fermer la bouche, étouffer les cris et maintenir les bras immobiles. 2° La mort est le résultat de la strangulation. Elle a eu lieu plus de quatre heures après le dernier repas, et a été opérée à l'aide d'une forte pression exercée sur le cou et sur la bouche. 3° Le corps n'a été jeté à l'eau qu'après qu'il était privé de sentiment; il y a séjourné quarante-huit heures environ.

Élisabeth Landau, dix ans et demi, assez forte et développée. Viol consommé. Organes sexuels régulièrement développés portant les traces de violences récentes. Entrée de la vulve agrandie par suite de la dépression de la fourchette. Hymen déchiré dans toute sa hauteur, lambeaux tuméfiés, rouges, enflammés, assez douloureux, très-légèrement rétractés. Un suintement muqueux, peu abondant, humecte ces parties. Ganglions inguinaux gonflés; santé générale bonne. Ecchymoses, suite de pression violente à la partie moyenne du bras droit.

Marie Lecomte, neuf ans et demi, grande et forte pour son âge, nie d'abord, avoue ensuite, viol consommé. Développement des organes génitaux très-avancé. Grandes, petites lèvres, clitoris très-développés. Ouverture du vagin béante. Hymen durci de haut en bas : solution récente. Inflammation peu intense ; lambeaux commençant à se rétracter; fourchette excoriée, en partie cicatrisée, pas de contusions sur les membres, santé et constitution bonnes.

Marie Boyer, huit ans et demi, peu avancée intellectuellement et physiquement. Inflammation très-vive des parties extérieures de la génération, surtout de l'hymen. A son bord libre, déchirure incomplète, avec boursouflement des lèvres de la plaie. Base du repli hyménéen enfoncée de manière à faire paraître l'entrée de la vulve plus large et plus profonde. Fourchette non déprimée. Suintement peu abondant d'humeur. Ganglions engorgés. Santé générale et constitution bonnes. Pas de contusions.

Françoise Thiébault, neuf ans et demi, très-petite et très-peu développée. Dit que Bixner a fait simplement des attouchements. A part un peu de rougeur limitée à la base des petites lèvres, les parties sexuelles ne sont le siége d'aucune lésion. Hymen intact.

Bixner, fille de l'inculpé, petite, chétive. Physionomie ayant un caractère d'hébétude et d'imbécillité. Intelligence très-peu développée. D'après la dame Pinard, accès nerveux singuliers, convulsions, cris inarticulés. Corps couvert d'ecchymoses sur le tronc et les membres. Organes génitaux en rapport avec l'âge de l'enfant. Partie postérieure de la vulve dilatée et ouverte en arrière, offre une disposition infundibuliforme qui n'est pas sans analogie avec celle que l'on observe chez les pédérastes, et qui est surtout visible quand on examine l'enfant par derrière. Pas de blessures de cette partie. Hymen ni déchiré ni relâché, mais seulement refoulé. Anus non déformé.

Conclusions : Les jeunes Élisabeth Landau, Lecomte et Boyer, portent les traces de violences exercées sur leurs personnes et caractérisées, chez les deux premières par une défloration complète, chez la troisième par une défloration incomplète, résultant de l'intromission du membre viril.

1° La jeune Thiébault est seulement atteinte d'une irritation légère des parties extérieures de la génération, qui peut tenir à des attouchements plus ou moins violents, exercés soit avec le doigt, soit avec un corps irritant comme le pénis.

2° Les différentes lésions caractéristiques de viol et d'attentat à la pudeur ne remontent pas, chez les unes et chez les autres, au delà de quinze jours.

3° La jeune Landau porte en outre sur le bras des marques d'une violente pression, qui a eu pour objet de paralyser la résistance de l'enfant.

4° La jeune Bixner n'a pas été déflorée, mais elle présente une conformation particulière des parties sexuelles, qui résulte de tentatives répétées d'intromission du membre viril.

5° Les contusions très-nombreuses dont le corps de cette enfant est couvert, doivent être attribuées à des mauvais traitements, auxquels elle aurait été en butte dès longtemps.

3 août. Visite à Mazas du sieur Bixner, qui se dit atteint d'un vice de conformation des organes sexuels qui l'empêche de voir des femmes autrement que faites. Allégation dénuée de fondement. Il manque un testicule, et autour du méat il y a la trace d'anciennes ulcérations peut-être syphilitiques, mais rien de cela n'est de nature à empêcher l'acte vénérien.

TROISIÈME PARTIE

DE LA PÉDÉRASTIE ET DE LA SODOMIE.

« Que ne puis-je, s'écriait Fodéré, éviter de salir ma plume de l'infâme turpitude des pédérastes ! » Comme lui, j'ai longtemps hésité à faire entrer dans cette étude le tableau repoussant de la pédérastie ; mais je ne pouvais m'empêcher de reconnaître qu'elle en forme le complément indispensable, et en même temps la partie la moins connue. Je me suis donc décidé non-seulement à ne pas passer sous silence ce triste sujet, mais encore à lui accorder des développements qu'aucun auteur ne lui a donnés jusqu'ici, soit en France, soit à l'étranger. Je dois seulement à mes lecteurs, je me dois à moi-même, de faire connaître les motifs puissants qui m'ont déterminé.

La question de la pédérastie a pris depuis quelque temps, dans la pratique de la médecine légale, sinon partout, du moins à Paris, une place considérable, et qui tend à s'accroître chaque jour. Sans vouloir affirmer, comme je l'ai entendu faire souvent, que ce vice soit de plus en plus répandu, il est d'autres raisons à invoquer de l'augmentation considérable des cas dans lesquels le médecin légiste est appelé à en constater les traces matérielles et les effets physiques. D'une part, en effet, la surveillance plus active de l'autorité, excitée par des scandales publics dont on aurait peine à se faire une idée, a amené une répression plus fréquente et plus sévère de la pédérastie. D'une autre part, ces habitudes honteuses sont devenues un moyen et comme un procédé particulier de vol, pour lequel se sont formées des associations coupables, dont le personnel a fourni de nombreuses occasions d'examen aux médecins légistes appelés à assister la justice dans ces poursuites ténébreuses. Enfin, dans des circonstances plus graves, la pédérastie a servi de prétexte, et en quelque sorte d'amorce, à l'assassinat, et est venue jeter ainsi un élément nouveau, une complication inattendue, dans les recherches médico-légales auxquelles donnent lieu ces grands crimes. C'est là ce qu'exprimait d'une manière saisissante, dans le rapport fait à la chambre du conseil, dans l'affaire de la rue du Rempart, au mois de juillet 1845, un des magistrats les plus éminents par l'esprit et par le caractère qui aient honoré les hautes fonctions de juge d'instruction, M. le baron A. de Saint-Didier : « On peut dire que dans Paris la pédérastie est l'école à laquelle se forment les plus habiles et les plus audacieux criminels. »

Ces considérations suffisent pour faire apprécier l'importance que peut offrir aujourd'hui l'étude médico-légale de la pédérastie ; mais elles ne peuvent donner une idée des difficultés que celle-ci présente et qui sont de plus d'un genre. L'ombre qui enveloppe ces faits, la honte et le dégoût qu'ils inspirent, en ont, de tout temps, éloigné les regards des observateurs : et l'on ne doit pas s'attendre à trouver dans les auteurs les données nécessaires à la solution des problèmes de médecine légale que soulève la pédérastie.

Il y a même à cet égard quelque chose d'étrange dans le silence que gardent les anciens sur les signes et sur les effets de ce vice, que l'antiquité semblait s'être approprié sous le nom d'*Amour grec*. Si les poëtes satiriques les ont stigmatisés en des vers trop souvent cités, pour avoir besoin d'être rappelés ici (1), il est curieux de voir qu'aucun médecin ne les a mentionnés, que Paul d'Égine (2) et Marcellus Empiricus (3), qui ont décrit les maladies de l'anus, et Celse (4), qui indique, avec son exactitude ordinaire, les rhagades, les condylomes, n'attribuent aucune de ces lésions à la pédérastie. Il faut arriver à Zacchias (5), bien placé, pour l'observation, au milieu de l'Italie du dix-septième siècle, pour trouver une exposition sagace, quoique incomplète, des signes de la pédérastie. Ces traits ébauchés par Zacchias sont à peu près les seuls qui reparaissent dans quelques écrits spéciaux (6), et dans les traités généraux des médecins légistes modernes, qui donnent à peine quelques lignes insuffisantes à cette question difficile. Casper, de Berlin (7), qui a repris récemment cette étude, sans y ajouter beaucoup, dans le mémoire que nous avons déjà cité, a pu dire avec raison : « Toutes les erreurs

(1) On en trouvera la citation exacte et complète, et le commentaire ingénieux, dans le livre, plein de charme, que vient de donner aux érudits et aux médecins, M. le docteur Ménière, sous le titre de : *Études médicales sur les poëtes latins*. Paris, 1858. — Je note spécialement les passages de l'*Étude sur Juvénal*, p. 351, et *sur Martial*, p. 433.

(2) *De re medica* (*Medicæ art. principes*, 1567, t. I, p. 586).

(3) *De medicamento* (*ibid.*, t. II, p. 387).

(4) *De re medica*, liber VII (*ibid.*, t. II, p. 165).

(5) *Quæstiones medico-legales*, liber IV, t. II, quest. V. Lyon, 1726, p. 340.

(6) Teutzel, *De Sodomia*, Erfurt, 1723. — Hartmann, *Pœdicatorem noxium esse*. Francfort, 1776. — H. Kaan, *Psychopathia sexualis*. Leipzig, 1844, p. 4[illegible].

(7) *Sur le viol et la pédérastie au point de vue de la médecine légale*, loc. cit.

se sont reproduites d'auteur à auteur, depuis Zacchias, par défaut d'observations pratiques. Les meilleurs auteurs, les auteurs français eux-mêmes, acceptent *bona fide* les leçons de leurs prédécesseurs. »

C'est ce défaut que j'ai l'espoir d'éviter, non par une vaine prétention, mais parce que tant d'occasions d'études m'ont été offertes dans les nombreuses expertises où l'examen de pédérastes avoués m'a été confié, que j'ai pu acquérir une expérience personnelle, qui me permettra d'aborder avec plus de certitude et plus d'autorité l'histoire des signes de la pédérastie.

Si je dis, en effet, que dans deux circonstances récentes l'autorité ayant résolu sinon de faire disparaître, du moins d'étouffer pour un temps les scandales de la pédérastie, un coup de filet jeté dans cette fange ramena une première fois quatre-vingt-dix-sept, et une seconde fois cinquante-deux individus pris en flagrant délit, et que je fus appelé à visiter; si j'ajoute que le nombre des autres explorations du même genre que j'ai eu à faire dépasse aujourd'hui soixante, et qu'enfin j'ai été admis à compulser les dossiers de toutes les grandes affaires d'escroquerie ou d'assassinat dans lesquelles la pédérastie a joué un rôle, on me permettra de m'appuyer, avec quelque confiance, sur les résultats de cette vaste enquête.

Voulant mettre à profit les renseignements très-divers et très-curieux qui s'offraient à moi, j'ai voulu ne négliger aucun côté de la question, et, sans prétendre marcher sur les traces de Parent-Duchâtelet, et donner un pendant au livre qui a popularisé son nom, j'ai cru devoir, à son exemple, recueillir et consigner ici quelques faits qui, sans être étrangers aux applications spéciales que doit chercher le médecin légiste, intéresseront surtout le moraliste et le magistrat.

Je me propose donc, après avoir défini la pédérastie, de donner un aperçu sommaire des conditions dans lesquelles elle s'exerce, de retracer avec toute l'exactitude possible les signes physiques de la pédérastie, et de passer en revue les questions médico-légales qui s'y rapportent.

DES CONDITIONS GÉNÉRALES DANS LESQUELLES S'EXERCENT LA PÉDÉRASTIE ET LA SODOMIE.

Le vice honteux, pour lequel la langue anglaise n'a pas de nom, *nameless crime*, a conservé dans la dénomination de *pédérastie* beaucoup de son origine antique, et la signification expressive qu'indique l'étymologie παιδὸς ἐραστής, *pueri amator*, l'amour des jeunes garçons. Il importe de s'en tenir aux termes de cette définition, et de réserver le mot plus général de *sodomie* pour les actes contre nature, considérés en eux-mêmes, et sans acception du sexe, divers ou semblable, des individus entre lesquels s'établissent des rapports coupables.

Des attentats contre nature commis sur des femmes. — Les violences sodomistes auxquelles les femmes peuvent être exposées arrivent rarement à la connaissance de la justice et appellent plus rarement encore l'examen du médecin expert. Chose singulière ! c'est principalement dans les rapports conjugaux que se sont produits des faits semblables. Plusieurs arrêts de la Cour suprême ont consacré le principe que le crime d'attentat à la pudeur peut exister de la part d'un mari se livrant sur sa femme à des actes contraires à la foi légitime des mariages, s'ils ont été accomplis avec violence physique. Telle est la doctrine qu'un arrêt du 18 mai 1854 appliquait au mari d'une femme Lévêque chez laquelle j'avais pu constater les traces des plus graves désordres résultant de violences contre nature et qui a tout récemment, dans des cas que je citerai, servi de base à des poursuites criminelles.

C'est en général très-peu de temps après le mariage que les hommes adonnés à ces goûts dépravés commencent à les imposer à leurs femmes. Celles-ci dans leur innocence s'y soumettent d'abord, mais plus tard, averties par la douleur ou renseignées par une amie, par leur mère, elles se refusent plus ou moins opiniâtrément à des actes qui ne sont plus dès lors tentés et accomplis que par violence. Dans ces cas l'expert aura à constater, outre les traces des sévices et des désordres locaux du côté de l'anus, les preuves matérielles de l'existence de rapports sexuels réguliers. Il est bon d'ailleurs dans ces délicates recherches de ne pas s'en laisser imposer par les déclarations des femmes. J'ai été appelé dernièrement à en examiner une qui se prétendait victime des violences de son mari et qui, pressée de s'expliquer, n'avait en réalité à lui reprocher que des exigences immodérées, des ardeurs un peu brutales, mais qui n'avaient rien d'antinaturel. Il est inutile d'ajouter que l'examen de cette femme ne nous fournit qu'un résultat absolument négatif. En dehors de l'état de mariage on ne trouve guère d'exemple de violences sodomiques consommées, mais les tentatives ne sont pas aussi rares. — Nous n'avons ici qu'à enregistrer ces faits et à en signaler la portée morale. Mais nous aurons à les mettre à profit plus tard dans l'étude des signes de la sodomie. Les filles publiques chez lesquelles ces habitudes honteuses se rencontrent trop souvent nous fournissent à cet égard quelques données dignes d'être rapprochées des caractères que nous ont offerts les pédérastes.

Attentats sur de jeunes garçons mineurs. — Il faut donner une place à part dans l'histoire de la pédérastie aux attentats commis sur de jeunes garçons de huit à douze ans par des hommes débauchés dont les excitations et l'exemple corrupteur ont plus d'une fois appelé avec la juste sévérité des lois les investigations d'une expertise médicale. Les scandaleux débats d'une affaire correctionnelle jugée le 6 janvier 1856 par la Cour impériale d'Amiens, ont révélé des détails qui peuvent servir à caractériser cette forme particulière de la pédérastie. Un individu attirait habituellement chez lui un certain nombre de jeunes garçons pour se livrer avec eux à des actes obscènes; il réunissait plusieurs d'entre eux dans un lit commun, se livrait devant tous et sur chacun d'eux à des actes de débauche, et leur tenait des discours de nature à les pervertir, les flétrissant autant par le rapprochement les uns des autres que par son contact personnel.

J'ai vu aussi, dans plusieurs circonstances, des enfants, que certaines professions amènent et rassemblent à Paris, devenir victimes de la brutalité des individus qu'ils assistaient comme apprentis ou dont ils partageaient la couche par suite de la promiscuïté qui règne dans les plus pauvres logements garnis de la capitale.

De la prostitution pédéraste. — Mais les conditions les plus communes et aussi les plus dangereuses dans lesquelles s'exerce la pédérastie sont celles d'une véritable prostitution, qui, si elle ne s'abrite pas sous la tolérance qui protége la prostitution féminine, n'en est pas moins comme elle très-répandue, organisée en quelque sorte, et en constitue dans certaines grandes villes comme le complément nécessaire.

C'est sous cette forme que se montraient presque au grand jour dans les sociétés antiques les monstruosités de l'amour grec ou socratique, digne frère du *Lesbicus amor* qui menace de renaître aujourd'hui dans la corruption d'un certain monde. C'est sous cette forme que Zacchias l'observait à Rome au dix-septième siècle; qu'on la rencontre encore en Italie où l'étranger est poursuivi par de vils proxénètes qui proposent indifféremment à son choix *bella ragazza* ou *bello ragazzo*; et qu'elle s'affiche en quelque sorte dans l'Afrique française, où les jeunes Maures s'offrent pour ainsi dire publiquement, et où a grandi, au point d'envahir la métropole, la plaie honteuse de la pédérastie. A Paris, enfin, la prostitution pédéraste a pris dans l'ombre un accroissement presque incroyable et a reçu une organisation clandestine destinée surtout à favoriser l'industrie coupable désignée sous le nom de *chantage*, et que nous ont apprise, dans tous ses détails infâmes, les révélations de plus d'un procès fameux, depuis l'affaire dite de la rue du Rempart en 1845, où figuraient 47 accusés, jusqu'à ces poursuites multipliées, qui, depuis trois ans, amènent devant les tribunaux correctionnels des bandes de quinze et vingt pédérastes à la fois.

J'ai dit que je ne reculerais pas devant l'ignominie du tableau; c'est ici qu'il faut en retracer les traits les plus hideux, et emprunter jusqu'au langage des êtres dégradés, dont je veux essayer d'ébaucher la repoussante image.

Les hommes qui se livrent au genre d'escroquerie dit *chantage* ne sont, le plus ordinairement, que des voleurs d'une espèce particulière, qui, sans être toujours adonnés eux-mêmes à la pédérastie, spéculent sur les habitudes vicieuses de certains individus, pour les attirer par l'appât de leurs passions secrètes dans des piéges où ils rançonnent sans peine leur honteuse faiblesse. Mais à côté de ces hommes enrichis par le vol et mis avec une certaine recherche, on trouve de jeunes garçons, corrompus et perdus par eux, qui sont à leurs gages, qu'ils enrôlent, qu'ils dominent et qu'ils désignent dans leur effrayant cynisme comme les *outils* dont ils se servent pour attirer leurs dupes et saisir leurs victimes. Ces misérables enfants, détournés quelquefois du travail honnête de l'atelier, plus souvent ramassés dans la boue des carrefours et dans l'oisiveté des mauvais lieux, sont lancés chaque soir dans des endroits déserts et bien connus où ils savent *lever* facilement leur triste proie. Lorsqu'ils ont réussi à se faire accoster, les individus avec qui ils marchent se présentent tout à coup, et usurpant la qualité et le langage d'agents de police chargés de faire respecter la morale outragée, finissent par se faire payer leur indulgence, et ne rendent les dupes à la liberté que moyennant la rançon d'une somme souvent considérable.

Quelques-uns réunissent à la fois le double rôle de leveur et de chanteur. Après avoir provoqué à la débauche celui qui a eu le malheur de les aborder, ils changent tout à coup de ton, le prennent, comme ils le disent, au *saute-dessus*, et, se donnant pour des agents de l'autorité, les menacent d'une arrestation qu'ils consentent à grand'peine à ne pas faire, si leur discrétion est largement rétribuée.

On ne saurait se figurer à quel point a été poussée la criminelle industrie du vol à la pédérastie. Ce n'est pas seulement aux hasards d'une rencontre dans un lieu public que le chantage demande des victimes. Accompagnant à son domicile le malheureux qui n'a pu lui payer sur-le-champ son silence, le faux agent, qui a réussi à se procurer un nom et une adresse, s'assure ainsi une riche capture, qu'il exploitera dans des proportions qui dépassent tout ce que l'on pourrait imaginer. Aussi les chanteurs prennent-ils de grandes précautions pour garder le secret des découvertes qu'ils font de cette manière, et cacher aux jeunes gens, qu'un modique salaire associe à leurs infâmes manœuvres, la mine précieuse dont ils veulent se réserver la possession. Ils se constituent ainsi une sorte de clientèle qu'ils se repassent et se revendent entre eux. On n'a pas oublié le déplorable exemple donné en ce genre par un homme, dont le nom haut placé dans la science a été livré à la publicité, par une indiscrétion de la presse judiciaire, que nous nous garderons bien d'imiter. Les chanteurs avaient réussi à lui inspirer une telle terreur, qu'il n'hésitait jamais à se soumettre à leurs exigences, et que certains d'entre eux comptaient sur sa bourse comme sur la leur. Pendant plus de vingt ans, il s'est laissé ainsi rançonner par plusieurs générations d'escrocs, qui se léguaient ce revenu assuré, et qui plusieurs fois se sont disputés à sa porte à qui prélèverait l'impôt en quelque sorte quotidien que leur garantissait sa honteuse faiblesse. « Ce n'est pas cinquante mille « francs, s'écriait devant la justice l'un des révélateurs qui « avait participé le plus activement à ces déprédations, c'est « plus de cent mille qu'il a donnés ; ça dure depuis trente ans, « on se le repassait ; il a donné ainsi à des individus qui sont « morts et à d'autres qui sont retirés des affaires. » A côté de ce fait monstrueux, j'en citerai un autre qui donne à un double point de vue un singulier aperçu des mœurs des pédérastes. Dans l'affaire de la rue du Rempart, un vieil Anglais avoua qu'ayant été déjà victime d'escroquerie de même espèce, il prenait la précaution, lorsqu'il allait courir les rues pour satisfaire ses honteuses passions, de se vêtir misérablement et de ne jamais donner que de petites sommes, pour ne pas éveiller la cupidité de ceux avec lesquels son immoralité le mettait en rapport. Mais son calcul fut déjoué par l'astuce de deux jeunes escrocs, qui le suivirent jusqu'à un hôtel de belle apparence où il habitait, et qui, pénétrant jusque dans son appartement, se vengèrent de sa fausse indigence en le dévalisant complétement.

Mais dans la criminelle pratique du chantage, la prostitution pédéraste n'occupe pour ainsi dire qu'un rang secondaire. Elle s'exerce encore dans d'autres conditions, où se révèlent plus exactement son véritable caractère et son analogie avec la prostitution féminine. Comme celle-ci, elle a son personnel spécial, ses lieux de réunion consacrés, ses habitudes particulières.

Nous verrons plus tard dans quelle classe se recrutent ceux qui sont descendus assez bas pour faire un métier de leur corps et se livrer aux souillures de passions antinaturelles que le plus souvent ils ne partagent pas. Car les jeunes garçons que flétrit le nom de *tantes*, sont souvent attachés à des femmes chez lesquelles ils attirent et reçoivent habituellement les pédérastes. Certaines maîtresses de maison réunissent ainsi chez elles les deux sexes ; et une fille de mauvaise vie déclarait dans une enquête, que les deux tiers des hommes qui se présentaient chez elle y venaient uniquement pour lui demander de petits garçons. Une autre raconte qu'elle rencontrait habituellement sur la voie publique des jeunes gens qui provoquaient comme elle des hommes à la débauche et avec qui elle et ses camarades avaient le tort de rire et de plaisanter habituellement. « Ils viennent toujours, ajoutait-elle, demander aux femmes de les recevoir avec les hommes qu'ils « accostent, parce qu'ils ne savent où aller. » Un jeune garçon, qui s'est fait un nom dans cette hideuse phalange, a été, au moment de son arrestation, trouvé porteur d'une carte de fille publique. Le concert des deux prostitutions est si constant, que l'on a vu des proxénètes employer, pour attirer les pédérastes, des filles déguisées en hommes; et que plus souvent des jeunes gens ont revêtu des habits de femme pour tromper la surveillance des agents, ou dissimuler les honteuses préférences des hommes qui les recherchaient et les emmenaient avec eux. Une maîtresse d'hôtel garni, qui a été comprise dans les poursuites commencées dans la rue du Rempart en 1845, faisait venir un jeune homme chez elle, et l'affublait de vêtements de femme avant de le livrer à un individu qui accomplissait avec lui des actes effrénés de débauche. Une autre fois, elle l'envoyait chez son coiffeur pour qu'on lui ajustât une perruque de femme toute bouclée. Elle l'habillait ensuite avec ses propres vêtements, lui donnait son chapeau et son voile, et le remettait ensuite à un homme qui fréquentait habituellement sa maison et qui avait demandé lui-même « qu'il fût arrangé ainsi ». La métamorphose est parfois si complète, que l'on dit d'un jeune pédéraste, connu sous le nom de la *fille à la mode :* « Si M. Duval, le chef du bureau des mœurs, voyait le petit R. avec une robe au lieu d'un pantalon, il serait fort embarrassé. »

Cette promiscuité, ce mélange des prostitués des deux sexes, étaient intéressants à signaler; car on peut y trouver une preuve de ce fait important que les pédérastes avérés peuvent avoir des relations avec des femmes. Il faut cependant faire, à cet égard, une distinction, et reconnaître que ce sont surtout ceux qu'on appelle des *tantes*, c'est-à-dire ceux qui se prostituent aux véritables pédérastes, qui recherchent parfois à leur tour les rapports avec les femmes. Les chanteurs émérites emploient même souvent l'attrait d'une liaison de ce genre pour détourner les jeunes gens et assurer sur eux leur domination. Bien plus, un procès récent a fait connaître l'ignoble complicité de deux époux, dont l'un (qui le croirait?) offrait sa femme à de jeunes garçons en récompense des infâmes jouissances qu'il leur demandait lui-même.

Je m'arrête sans avoir épuisé les traits de ces mœurs sans nom dont je pourrais encore accumuler ici les plus horribles témoignages. Il est cependant certaines variétés de pédérastes dont l'existence doit être au moins connue des magistrats qui pénètrent ces mystères, et des experts appelés à constater les différents signes qui peuvent caractériser ce vice sous toutes ses formes. Mais je reculerais devant ces détails immondes si l'on ne me permettait pas de les cacher sous une courte périphrase latine. Omnes flagitiorum species apud παιδεραστὰς concurrunt; et istorum abjectorum hominum sermo nomen servat peculiare variis quas nequitia genuit sectis. Qui manustupro dediti sunt, *casse-poitrine* appellantur. Cognomine *pompeurs de dard* sive *de nœud* (id est turpissima penis significatio) designantur qui labia et oscula obscenis blanditiis præbent. Fœdissimum tandem et singulare genus libidinosorum vivido colore exprimit appellatio *renifleurs*, qui in secretos locos, nimirum circa theatrorum posticos, convenientes quò complures fœminæ ad micturiendum festinant, per nares urinali odore excitati, illico se invicem polluunt.

La prostitution pédéraste n'a pas, on le comprend, d'asile toléré, mais elle n'est pas pour cela reléguée dans les ténèbres des lieux écartés et déserts. Si certains points de la voie publique que je me reprocherais de désigner, mais dont quelques-uns sont bien connus, sont le théâtre le plus ordinaire des provocations et même des actes obscènes des pédérastes, il est aussi des maisons attitrées qui les attirent et les recueillent. La plupart de ces établissements ont été heureusement découverts et détruits par l'autorité. On y retrouvait la trace des pratiques honteuses qu'ils abritaient. Ainsi, dans l'un des plus hantés, des cabinets cachés derrière la maison étaient tapissés de dessins obscènes et d'inscriptions qui ne laissaient pas de doutes sur la nature des scènes dont ces murs avaient été les témoins. Casper a noté aussi ce goût particulier des images licencieuses, qui avait, chez l'un des pédérastes dont il a connu l'histoire, accumulé des copies de tous les modèles d'hermaphrodites dans leur pose provocante, et de nombreux portraits de jeunes garçons. J'ai vérifié plus d'une fois moi-même cette particularité ; et, les perquisitions faites, à l'occasion d'un assassinat dont je reparlerai, au domicile d'une société de pédérastes, ont amené la découverte de tableaux obscènes, de photographies représentant les différents affiliés de cette réunion ; et enfin d'une grande quantité de fleurs artificielles, de guirlandes, de couronnes, destinées, sans doute, à leur servir dans leurs orgies d'ornements et de parures.

Il n'est pas sans intérêt de compléter ces données générales sur les conditions dans lesquelles s'exerce la prostitution pédéraste par quelques notions sur les pédérastes eux-mêmes, empruntées aux observations que j'ai recueillies moi-même, et qui ont porté sur 212 individus.

Leur répartition suivant les *âges* a donné les chiffres suivants :

De 12 à 15 ans	16
De 15 à 25 ans	66
De 25 à 35 ans	26
De 35 à 45 ans	29
De 45 à 55 ans	20
De 55 à 65 ans	5
De 65 à 70 ans	4
Non indiqué	46
	212

Les *professions* auxquelles appartiennent les pédérastes ne peuvent fournir, on le comprend, aucune application générale; et je ne prétends en faire aucune en indiquant seulement quelques-unes de celles qui m'ont donné le plus grand nombre d'individus à examiner :

Dans 101 visites, j'ai compté :

47 domestiques;
30 commis marchands;
12 tailleurs;
12 militaires.

Les 111 autres appartenaient à 60 professions diverses.

Enfin, comme point de comparaison avec les prostituées, je citerai quelques-uns des *surnoms* par lesquels étaient désignés les principaux individus rangés parmi les *tantes* et les *leveurs* : Pistolet, la Grille, le Paletot, Macaire, le Gendarme, Coco, l'Auvergnat, Pisse-Vinaigre, Tuyau-de-Poêle, la Marseillaise, la Nantaise, la Pépée, la Bouchère, la Léontine, la Folle, la Fille à la mode, la Fille à la perruque, la Reine d'Angleterre. Je m'abstiens de toute réflexion sur ces désignations déjà si expressives par elles-mêmes.

Nous n'avons guère parlé jusqu'ici que des prostitués pédérastes; il nous resterait à dire un mot de ceux dont les goûts dépravés et l'inexplicable passion défrayent ce hideux métier. Mais que servirait de soulever ce voile derrière lequel je n'ai trouvé que le scandale et le dégoût. Je pourrais me demander, en physiologiste et en médecin, quelles causes inconnues peuvent aider à comprendre l'aberration des pédérastes ; mais je veux épargner à ceux qui me liront le douloureux et stérile étonnement que doit faire naître la connaissance des adeptes de la pédérastie. Je me bornerai donc à signaler les déplorables facilités que viennent chercher à Paris un assez grand nombre d'étrangers qui figurent dans la liste des victimes qu'a faites le chantage.

Il est un dernier point sur lequel il faut insister comme sur une terrible conséquence de la prostitution pédéraste ; c'est le danger auquel elle expose ceux qui en recherchent les ignominieux plaisirs, et qui ont trop souvent payé de leur vie les relations honteuses qu'ils avaient nouées avec des criminels. Les exemples d'assassinats commis sur des pédérastes ne sont pas très-rares ; et les circonstances dans lesquelles ils se produisent ont cela de caractéristique que la victime va d'elle-même en quelque sorte au-devant du meurtrier. Pour ne citer que les crimes qui ont ému Paris, les assassinats de Tessié, en 1838, de Ward en 1844, de Benoît et de Bérard en 1856, de Bivel et de Letellier, en 1857, ont révélé avec éclat la fin cruelle à laquelle peuvent être réservés ceux qui ne peuvent trouver que dans l'écume du monde le plus vil ces liaisons inavouées auxquelles ils vont demander la satisfaction de leurs monstrueux désirs.

Je ne prétends pas faire comprendre ce qui est incompréhensible et pénétrer les causes de la pédérastie. Il est cependant permis de se demander s'il y a autre chose dans ce vice qu'une perversion morale, qu'une des formes de la *Psychopathia sexualis*, dont Kaan a tracé l'histoire. La débauche effrénée, la sensualité blasée, peuvent seules expliquer les habitudes de pédérastie chez des hommes mariés, chez des pères de famille, et concilier avec le goût des femmes ces entraînements contre nature. On peut s'en faire une idée en retrouvant dans les écrits des pédérastes l'expression de leurs passions dépravées.

Casper a eu entre les mains un journal dans lequel un gentilhomme de vieille race, adonné à la pédérastie, a consigné jour par jour, et pendant plusieurs années, ses aventures, ses passions, et ses sentiments. Il avouait avec un cynisme sans exemple des habitudes honteuses qui remontaient à plus de trente années, et qui avaient succédé chez lui à un vif amour de l'autre sexe. Il avait été initié à ces nouveaux plaisirs par une entremetteuse; et la peinture de ses sentiments a quelque chose de saisissant. La plume se refuse à retracer les orgies décrites dans ce journal et à répéter les noms qu'il prodigue à ses amants. Des dessins, qui illustrent cette pièce singulière, ajoutent encore à ce qu'elle offre d'étrange.

J'ai eu d'un autre côté l'occasion fréquente de lire la correspondance de pédérastes avoués, et j'ai trouvé, sous les formes de langage les plus passionnées, des épithètes et des images empruntées aux plus ardents transports du véritable amour.

Mais il est des cas dans lesquels il est difficile de ne pas admettre une véritable perversion maladive des facultés morales. A voir la dégradation profonde, la révoltante saleté des individus que recherchent et qu'admettent près d'eux des hommes en apparence distingués par l'éducation et par la fortune, on serait le plus souvent tenté de croire que leurs sens et leur raison sont altérés; mais on n'en peut guère douter, lorsqu'on recueille des faits tels que ceux que je tiens d'un magistrat, qui a apporté autant d'habileté que d'énergie dans la poursuite des pédérastes, M. le juge d'instruction Busserolles, et que je ne peux taire. Un de ces hommes descendus d'une position élevée au dernier degré de la dépravation, attirait chez lui de sordides enfants des rues devant lesquels il s'agenouillait, dont il baisait les pieds avec une soumission passionnée avant de leur demander de plus infâmes jouissances. Un autre trouvait une volupté singulière à se faire donner par derrière de violents coups de pied par un être de la plus vile espèce. Quelle autre idée se faire de pareilles horreurs que de les imputer à la plus triste et à la plus honteuse folie!

DES SIGNES DE LA PÉDÉRASTIE.

J'en ai dit assez pour faire comprendre l'intérêt qui s'attache à la constatation précise et certaine des signes qui pourront faire reconnaître les pédérastes; il me reste à démontrer l'existence et la valeur de ces signes, et à établir sur des faits positifs et sur des observations multipliées que le vice de la pédérastie laisse dans la conformation des organes des traces matérielles beaucoup plus nombreuses et beaucoup plus significatives qu'on ne l'avait cru jusqu'ici, et dont la connaissance permettra au médecin légiste, dans le plus grand nombre des cas, de diriger et d'assurer des poursuites qui intéressent à un si haut degré la morale publique.

Je dois cependant, avant tout, confesser qu'il est des individus, qui, notoirement adonnés à la pédérastie, et avouant eux-mêmes leurs honteuses passions, n'en conservent néanmoins aucune marque appréciable. C'est ce qui a fait dire à Casper que tous les signes locaux et généraux indiqués par certains écrivains ne méritent aucune considération, attendu qu'ils peuvent tous manquer et qu'ils manquent en réalité très-souvent. Mais outre ce que ce raisonnement offre de vicieux, la proposition du savant médecin légiste de Berlin est complétement en désaccord avec les faits, et je n'hésite pas à la repousser. Je remarque d'ailleurs qu'il s'est lui-même trop défié de ses propres observations, ou qu'il n'a pas su toujours les interpréter fidèlement; car en parcourant l'histoire des onze cas qui forment l'étroit support de son mémoire, on le surprend plus d'une fois restant dans le doute ou même concluant négativement, dans des circonstances où les lésions les plus caractéristiques, telles que la déchirure du sphincter par exemple, décelaient de la manière la plus positive la pédérastie. Pour moi, je n'ai trouvé que seize fois sur deux cent douze des pédérastes avoués chez lesquels il fût impossible de constater aucune trace évidente, aucun caractère suffisamment certain. Je ne crains donc pas de déclarer que l'absence des signes positifs est une très-rare exception; et je suis très-porté à penser que si l'on a cru et professé le contraire, c'est parce qu'on a constamment négligé de faire une distinction importante entre les pédérastes et de rechercher chez eux des signes en rapport avec ces différences.

Or, c'est un point capital dans cette étude, que la pédérastie comporte en quelque sorte deux rôles, tantôt confondus, plus souvent isolés, et dont la marque s'imprime d'une manière variable chez les divers individus, suivant qu'ils sont plus particulièrement livrés à des habitudes actives ou à des habitudes passives. Si cette distinction n'a pas échappé à tous les auteurs, quant au fait lui-même; si Eusèbe de Salles (1) désigne spécialement les seconds sous le nom de *succubes*; si Casper se préoccupe de l'influence que peut avoir sur la santé générale la part active ou passive que prend un individu dans ces rapports infâmes, aucun auteur ne paraît avoir seulement entrevu les conséquences qu'elle pouvait avoir au point de vue des caractères distinctifs de l'un ou de l'autre mode de la pédérastie. On a ainsi laissé complétement de côté des signes importants, spécifiques en quelque sorte, et qui peuvent seuls faire reconnaître toute une classe de pédérastes et tout un ordre de faits sur lesquels, pour la première fois, j'appelle toute l'attention des médecins légistes.

Les indications que j'ai données précédemment sur les mœurs des pédérastes me dispensent d'entrer dans de nouveaux détails sur ce point, et suffisent à faire pressentir que les habitudes passives seront les plus communes et presque

(1) *Médecine légale* (in *Encyclopédie médicale*).

les seules dont on retrouvera les traces chez ceux qui se livrent à la prostitution pédéraste, tandis que ceux qui cèdent à l'entraînement des passions contre nature, au παιδὸς ἔρως pourront présenter exclusivement les signes des habitudes actives. Toutefois, chez le plus grand nombre de ces derniers, la débauche ne connaît ni frein ni limites, et l'on trouve sur leur corps avili l'empreinte du double rôle auquel ils se prêtent tour à tour. De là une bien plus grande fréquence des signes que l'on peut appeler passifs dans les constatations auxquelles donnera lieu l'examen médico-légal des pédérastes. J'ai tenu à poursuivre l'importante distinction dont je viens de parler, dans tous les cas que j'ai observés, et en tenant compte des signes physiques présentés par chaque individu, en même temps que des autres données que j'ai pu me procurer, j'ai trouvé que mes 212 observations étaient ainsi réparties :

Habitudes exclusivement passives.............	103
Habitudes exclusivement actives..............	18
Habitudes à la fois actives et passives..........	74
Habitudes non caractérisées..................	17

J'aurai soin, dans l'énumération et dans l'étude des signes, de ne jamais perdre de vue cette différence capitale.

DES SIGNES GÉNÉRAUX DE LA PÉDÉRASTIE.

Mais avant d'arriver aux traits spéciaux qui peuvent résulter de tel ou tel genre d'habitudes, il est quelques signes généraux communs à tous les adeptes de la pédérastie, qu'il convient d'exposer auparavant, et qui sont singulièrement propres à donner de ces physionomies à part une idée saisissante et vraie.

De l'extérieur des pédérastes. — Le caractère des pédérastes, de ceux surtout qui, par passion ou par calcul, recherchent et attirent les hommes, se peint souvent dans leur extérieur, dans leur costume, dans leurs allures et dans leurs goûts, qui reflètent en quelque sorte la perversion contre nature de leurs penchants sexuels. Si ce fait ne s'observe pas toujours, il est du moins assez fréquent pour mériter d'être signalé : il est d'ailleurs bien connu de tous ceux qui ont été placés de façon à voir un grand nombre de ces pédérastes auxquels s'applique le nom de *tantes*.

Les cheveux frisés, le teint fardé, le col découvert, la taille serrée de manière à faire saillir les formes, les doigts, les oreilles, la poitrine chargés de bijoux, toute la personne exhalant l'odeur des parfums les plus pénétrants, et dans la main un mouchoir, des fleurs, ou quelque travail d'aiguille, telle est la physionnomie étrange, repoussante, et à bon droit suspecte, qui trahit les pédérastes. Un trait non moins caractéristique, et que j'ai observé cent fois, c'est le contraste de cette fausse élégance et de ce culte extérieur de la personne avec une malpropreté sordide qui suffirait à elle seule pour éloigner de ces misérables. J'ai vainement cherché sur les différentes parties du corps des pédérastes bien connus pour tels, quelque tatouage particulier analogue à ceux que l'on rencontre si souvent chez les filles publiques. Je n'ai absolument rien trouvé de pareil, malgré les observations spéciales que j'ai entreprises sur ce point (1). J'ai noté un assez grand nombre de fois, la présence d'une botte figurée sur le dos de la verge ; mais je n'ai jamais remarqué chez les individus qui présentaient ce tatouage le moindre signe d'habitudes contre nature. Il m'a paru que c'était là seulement une sorte d'emblème obscène étranger à la pédérastie. La coiffure et le costume constituent l'une des préoccupations les plus constantes des pédérastes. Tessié, qui a péri, en 1838, assassiné par Guérin qu'il avait attiré chez lui, avait coutume de se faire friser chaque jour par un coiffeur qui,

(1) *Étude médico-légale sur le tatouage considéré comme signe d'identité* (*Ann. d'hyg. et de méd. lég.*, 1855, 2e série, t. III, p. 171).

entendu dans l'instruction, a déclaré qu'il aimait être coiffé en boucles et qu'il lui tenait toujours une conversation très-libre. L'auteur des mémoires qu'a cités Casper affiche les mêmes prétentions; à 58 ans, il s'affuble d'une perruque blonde toute bouclée. Le costume retient également quelque chose des habitudes efféminées des pédérastes. Le sentiment de coquetterie abjecte qui les porte à rechercher l'attrait des formes, ne s'est jamais montré d'une manière plus scandaleuse que chez ces jeunes gens qui recrutaient le personnel d'un repaire de pédérastes désigné sous le nom de *maison des hussards*, à cause de la veste d'uniforme qu'ils affectionnaient, et à l'aide de laquelle ils attiraient les regards dans les lieux publics. Dernièrement encore, on trouvait dans la garde-robe d'un jeune ouvrier, compromis dans l'assassinat de Letellier, un costume de soldat des guides, qui ne pouvait lui servir que de semblable déguisement. Le type le plus frappant que j'aie vu en ce genre, c'est cet individu qu'a rendu célèbre le sobriquet de la *reine d'Angleterre*, jeune garçon de 21 ans, se disant parfumeur et n'ayant en réalité d'autre métier que la prostitution dont il portait au plus haut degré la marque infamante. C'est de lui qu'un journal judiciaire traçait ce portrait fidèle, lorsqu'il comparut devant le tribunal correctionnel : « Est-ce bien un homme? Ses cheveux, séparés sur le milieu de la tête, retombent en boucles sur ses joues comme ceux d'une jeune fille coquette. Son cou est protégé par une simple cravate *à la Colin*, et le col de la chemise retombe dans toute sa largeur sur les épaules; il a les yeux mourants, la bouche en cœur, il se dandine sur les hanches comme un danseur espagnol, et quand on l'a arrêté, il avait dans sa poche un pot de vermillon. Il joint les mains d'un air hypocrite et fait des mines qui seraient risibles, si elles n'étaient pas révoltantes. »

Des troubles généraux de la santé chez les pédérastes. — Il n'est pas besoin de longs développements pour établir que les actes de débauche contre nature, auxquels se livrent les pédérastes, doivent inévitablement altérer la santé générale d'une manière plus ou moins profonde. J'ai pu juger par moi-même dans trop de circonstances de l'aspect misérable, de la constitution appauvrie et de la pâleur maladive des prostitués pédérastes ; j'ai trop bien reconnu la justesse sinistre de cette expression de *casse-poitrine* réservée à quelques-uns d'entre eux, pour méconnaître que cet abus de jouissances honteuses mine et détruit la santé; j'en citerai plus loin un exemple frappant. J'en ai vu que l'épuisement des forces physiques et intellectuelles a conduits à la phthisie pulmonaire, à la paralysie et à la folie.

Mais, tout en proclamant la réalité de ce danger, je suis loin d'en faire une conséquence nécessaire et un signe certain de la pédérastie, et je ne tomberai pas dans l'exagération que Casper relève avec raison. Il ne m'en coûte nullement de reconnaître que la soif, les sueurs, l'amaigrissement, n'appartiennent pas spécialement à la pédérastie. Et je ne crois même pas utile de me demander avec lui pourquoi ces jouissances contre nature ont de plus mauvais effets sur la santé que les autres, et si l'entrée de la liqueur spermatique dans le rectum peut exercer quelque influence fâcheuse. Mais Casper commet, à mon sens, une grave erreur, lorsqu'il croit que les rapports d'homme à homme sont rarement complets et que l'imagination y a autant de part que les sens. La simple observation des désordres matériels produits par les rapprochements contre nature, ne peut laisser aucun doute sur leur étendue, et démontre clairement que la pédérastie constitue au moins au même titre que les excès vénériens une source de maladie et de dépérissement, sinon spéciale, du moins très-réelle et très-active.

DES SIGNES D'HABITUDES PASSIVES DE PÉDÉRASTIE ET DE SODOMIE.

Les traces d'habitudes passives qui sont, il est vrai, très-communes, puisque nous les avons trouvées dans 177 cas sur 212, sont les seules qui aient fixé l'attention des auteurs; mais, malgré leur fréquence, elles sont encore très-incomplétement connues et à peine indiquées. Je m'attacherai à les décrire avec méthode et à en donner une idée assez nette pour que leur valeur, comme signe dans les expertises médico-légales, ne puisse plus être révoquée en doute ou livrée à l'arbitraire.

La sodomie laissera des traces différentes, suivant qu'elle consistera en un attentat contre nature récent et en violences isolées, ou qu'elle constituera une habitude ancienne et invétérée; et il est important de distinguer avec soin l'un et l'autre ordre de signes. Zacchias a le premier fait ressortir cette distinction féconde.

L'attentat récent a des caractères trop tranchés pour qu'il soit possible de les méconnaître; aussi sont-ils admis par ceux mêmes qui sont le plus disposés à nier la réalité des signes de la pédérastie, et qui, à l'exemple de Casper, ne croiraient pouvoir conclure avec certitude que dans les cas où les tentatives contre nature d'un adulte sur un enfant amènent des déchirures et des désordres considérables.

Du reste, ces signes des attentats récents sont plus ou moins marqués, suivant le degré de violence employée, le volume des parties, la jeunesse de la victime et l'absence d'habitudes vicieuses antérieures. Ils varient, selon ces circonstances, depuis la rougeur, l'excoriation, l'ardeur douloureuse de l'anus, la difficulté de la marche, jusqu'aux fissures dites rhagades, aux déchirures profondes, à l'extravasation du sang et à l'inflammation de la membrane muqueuse et du tissu cellulaire sous-jacent. Cette inflammation peut être plus ou moins étendue, plus ou moins prolongée, mais si l'examen n'a lieu que quelques jours après l'attentat, on ne trouvera le plus souvent que de la démangeaison et une coloration de l'anus dues aux modifications qu'a éprouvées le sang épanché.

Les lésions aiguës de la pédérastie ne sont pas toujours bornées à l'anus; on peut trouver certains désordres caractéristiques du côté des organes génitaux. J'en ai rencontré un exemple curieux chez un jeune ouvrier maçon, que j'avais été chargé de visiter à l'hôpital du Midi, en 1853; ce garçon, d'une simplicité et d'une niaiserie sans pareilles, avait été, de la part de ses compagnons de chambrée, l'objet d'attouchements violents et prolongés qui avaient déterminé une inflammation très-vive de l'urètre. L'abus de l'onanisme peut produire, on le sait, de semblables désordres, et l'autorité de M. Ricord, dans le service duquel était placé ce garçon, a pleinement confirmé l'opinion que je m'étais faite moi-même de la cause singulière de cette affection : j'ai observé quelquefois aussi des excoriations et des ecchymoses sur les bourses. On doit aussi prévoir le cas où des traces de coups et des blessures quelconques existeraient sur d'autres parties du corps.

Les *habitudes anciennes et passives* de pédérastie sont, plus encore que l'attentat récent, importantes à caractériser, et c'est à les reconnaître que l'expert doit surtout s'attacher. Il serait impossible d'y parvenir, si l'on s'en tenait aux signes incomplets et insuffisants que l'on trouve mentionnés dans les auteurs. Je crois inutile d'en entreprendre ici la critique, mais j'aurai soin, en étudiant chacun des signes en particulier, de donner un aperçu de la place qu'ils occupent dans les descriptions écourtées que l'on trouve dans les livres.

Les signes caractéristiques de la pédérastie passive, que nous allons passer successivement en revue, sont le développement excessif des fesses, la déformation infundibuliforme de l'anus, le relâchement du sphincter, l'effacement des plis, les crêtes et caroncules du pourtour de l'anus, la dilatation extrême de l'orifice anal, l'incontinence des matières, les ulcérations, les rhagades, les hémorrhoïdes, les fistules, la blennorrhagie rectale, la syphilis, les corps étrangers introduits dans l'anus.

L'énumération de ces différents signes ne peut donner une idée de leur valeur ; il est absolument nécessaire de les établir isolément et dans toutes leurs particularités essentielles.

État des fesses. — J'ai déjà parlé de l'affectation avec laquelle certains pédérastes mettent leurs formes en évidence, et recherchent les costumes qui peuvent le mieux les désigner aux regards des débauchés. Il est constant, en effet, que beaucoup de ceux qui se livrent à la prostitution pédéraste offrent un développement excessif des fesses, qui sont larges, saillantes, parfois énormes, et d'une forme tout à fait féminine. Cette disposition est cependant loin d'être constante, et j'ai noté souvent la conformation toute contraire. Du reste, il faut faire ici une grande part à l'organisation individuelle. J'ai vu, par exemple, une disposition très-singulière et certainement exceptionnelle chez un pédéraste dont les deux fesses étaient complétement réunies, de manière à présenter une masse sphérique tout unie. L'extrême embonpoint et l'extrême maigreur de ces parties entraînent d'ailleurs des différences si considérables dans la disposition de l'anus, que l'on ne doit jamais négliger d'y avoir égard dans l'examen des pédérastes. Il faut remarquer aussi que la vieillesse, qui n'est pas à l'abri du vice, amène dans ces parties une flaccidité qui peut en modifier beaucoup l'apparence et les formes.

Déformation infundibuliforme de l'anus. — L'infundibulum de l'anus est, dans l'idée non-seulement des médecins, mais du vulgaire, le signe unique et la seule véritable marque de la pédérastie. Ce caractère doit sa notoriété à

Cullerier. Cependant il a été contesté par Casper, qui s'en est rapporté moins à ses propres observations, dans lesquelles il est facile de retrouver l'indication d'une disposition analogue à celle dont il s'agit ici, qu'aux dénégations de MM. Jacquemin et Collineau, déjà cités par Parent-Duchâtelet (1). Quelque estime que je professe pour ces excellents esprits, je ne puis m'empêcher de croire que leur opinion ne saurait être généralisée, et que si la disposition infundibuliforme de l'anus est moins commune chez les femmes et chez les filles publiques livrées à la sodomie, qui ont fait le sujet de leur observation, il constitue un signe très-réel et très-fréquent de la pédérastie, tellement fréquent que je l'ai constaté 114 fois dans les 177 cas où j'ai trouvé les traces d'habitudes passives. Seulement je crois ce signe en général très-mal connu, et souvent très-difficile à bien apprécier, soit que l'on procède maladroitement à l'examen, soit que l'on se fasse une idée peu juste de la manière dont se forme cet infundibulum.

Il résulte, d'une part, du refoulement graduel des parties qui sont situées au-devant de l'anus, et, d'une autre part, de la résistance qu'oppose l'extrémité supérieure du sphincter à l'intromission complète dans le rectum. Le sphincter, en effet, forme au-dessus de l'anus une sorte de canal musculeux contractile, dont la hauteur atteint parfois jusqu'à 3 et 4 centimètres; de telle sorte que la partie inférieure de l'anneau peut céder et se laisser repousser vers la supérieure qui, résistant davantage, reste au fond d'une sorte d'entonnoir, dont la partie la plus évasée est circonscrite par le rebord des fesses, et dont la portion rétrécie se prolonge à travers l'orifice anal jusqu'au sphincter refoulé, réduit à un simple anneau qui ferme plus ou moins complétement l'entrée de l'intestin.

(1) *De la prostitution dans la ville de Paris*, t. I, p. 214.

Mais si j'ai réussi à me faire comprendre, on doit voir que l'infundibulum sera plus ou moins large, plus ou moins profond, suivant l'état d'embonpoint ou de maigreur et la saillie plus ou moins prononcée des fesses. Chez les individus très-gras, dont les masses fessières sont très-prononcées, l'infundibulum manque souvent ; ou du moins, formé uniquement au niveau et aux dépens du sphincter anal, il est très-court et ne s'aperçoit que lorsque les fesses sont très-fortement écartées, et lorsque l'on a soin d'exercer une traction assez forte sur les côtés de l'anus. Chez les individus très-maigres, il peut également faire défaut, parce que le rebord intérieur des fesses étant presque nul, il n'y a pas de refoulement des parties molles, et que l'anus se trouve ou superficiellement placé, comme on le voit surtout chez les femmes très-amaigries, ou au fond d'une excavation naturelle, qui n'affecte pas la disposition infundibuliforme. Celle-ci n'est jamais plus prononcée que chez les pédérastes d'un embonpoint modéré chez lesquels les fesses, un peu molles, vont en se déprimant depuis leur méplat jusqu'aux bords de l'ouverture anale, de manière à former un entonnoir à large ouverture, plus ou moins rétréci vers le fond, et que l'écartement des fesses rend facilement visible.

Relâchement du sphincter. Effacement des plis. Crètes au pourtour de l'anus. — Le relâchement du sphincter est un signe non moins fréquent et aussi caractéristique que la déformation infundibuliforme de l'anus. Je l'ai noté le même nombre de fois, 114 sur 177 cas d'habitudes passives confirmées. Bien que le plus souvent ce relâchement du sphincter se rencontre en même temps que l'infundibulum, il n'est pas rare de le rencontrer dans les cas même où ce dernier caractère fait défaut, et je n'hésite pas à lui accorder au moins autant de valeur.

Il se présente, du reste, à des degrés très-variables qui sont appréciables, non-seulement par le toucher, mais encore à la simple inspection. Car le relâchement du sphincter amène nécessairement un changement très-appréciable dans la conformation extérieure de l'anus. Zacchias avait fort bien vu ce fait qui a échappé à ceux même qui l'ont copié, mais que les observations de Casper (de Berlin) et les miennes ont pleinement confirmé.

Les plis qui existent naturellement autour de l'anus s'effacent, et au lieu de former une étoile à plis radiés il devient lisse et poli, *podice lævi* du poëte. C'est là le premier effet des frottements répétés; mais à mesure que les rapports contre nature se renouvellent, le relâchement devient chaque jour plus considérable, d'autant plus que, ainsi que le remarque très-justement Zacchias, les individus adonnés à ces infâmes pratiques, afin d'éviter la douleur que provoquent les premières approches, et de les rendre plus faciles, recourent à des médicaments laxatifs et émollients, et surtout à des onctions fréquentes avec quelque corps gras. Sous l'influence de ce relâchement de plus en plus prononcé, la membrane muqueuse de la dernière portion se ramasse à l'orifice anal, de manière à former un bourrelet saillant et épais. Dans certains cas, elle constitue des replis, des espèces de caroncules ou d'excroissances, que j'ai vues parfois assez développées pour simuler de petites lèvres semblables à celles qui chez la femme ferment l'entrée du vagin, et s'écartant comme elles, lorsqu'on exerçait une traction sur les bords de l'anus. Ce sont ces excroissances qui ont été souvent décrites sous le nom de crête, *crista*, *mariscæ* des satiriques latins, et qui ont une sorte de notoriété comme signe de la pédérastie. Zacchias a consacré cette opinion en écrivant les lignes suivantes : « Un signe beaucoup plus significatif consiste dans la présence de certaines caroncules ou « excroissances de chair que l'on désigne vulgairement sous « le nom de *crêtes*, et dont l'origine est le plus ordinairement l'habitude de la sodomie. » Et l'on peut juger à quel point elle est accréditée, quand je dirai que j'ai trouvé dans le rapport secret d'un révélateur sur un pédéraste connu cette remarque singulièrement explicite : « On dit que de « petites crêtes qui restent à l'anus sont des preuves irrécu-« sables. Il préférera avouer que de se laisser visiter par un « homme de l'art; il est atteint en outre d'une maladie vé-« nérienne que des hommes lui ont communiquée. »

En résumé, le relâchement du sphincter, avec l'effacement des plis chez les uns, et chez les autres le boursouflement et la saillie de la muqueuse, constituent un des signes les plus communs et les plus caractéristiques des habitudes passives de pédérastie.

Dilatation extrême de l'orifice anal; incontinence des matières. — Le refoulement de l'anus d'une part, et la dilatation progressive du sphincter de l'autre, peuvent arriver dans quelques individus à un tel degré, que l'orifice anal se trouve réduit à un trou béant, parfois énorme, qui n'est plus constitué que par un anneau circulaire sans contractilité et sans relief. Chez les pédérastes très-maigres, il semble qu'un trou a été percé à l'emporte-pièce sur une peau tendue. J'ai trouvé cette dilatation extrême dans 64 cas sur 177.

Elle entraîne presque inévitablement une disposition marquée à la chute du rectum, et en même temps une incontinence habituelle des matières fécales que j'ai observée 43 fois, et qui, sans être complète, entretient dans ces parties un tel état de saleté et leur donne un aspect si horrible que l'esprit et le cœur se soulèvent à la pensée qu'elles puissent inspirer autre chose que le plus violent dégoût.

Ulcérations, rhagades, hémorrhoïdes, fistules à l'anus, etc. — L'habitude invétérée de la pédérastie passive expose certainement à des maladies de la partie inférieure du rectum, et j'ai, pour ma part, rencontré dans un certain nombre de cas, 39 sur 177, des ulcérations profondes, des rhagades, des fistules qui pouvaient être très-légitimement attribuées à cette cause; mais il est impossible d'assigner à ces lésions variées un caractère spécifique, et de les considérer comme des signes constants de pédérastie. Elles ne présentent, en effet, alors même qu'elles dépendent le plus certainement de ce vice, absolument rien de particulier, ni pour le siége ni pour la forme; et je ne puis m'associer à l'opinion de l'honorable et savant médecin de la prison Mazas, M. le docteur Jacquemin, qui les signale comme occupant le plus souvent le bord postérieur de l'anus.

J'en dirai autant des condylomes, des hémorrhoïdes, et des maladies plus graves du rectum, telles que le cancer, que les auteurs indiquent comme les suites possibles de la sodomie. Je suis loin de contester le fait, mais je crois que l'on s'exposerait aux plus graves erreurs si on se laissait aller à en exagérer la portée; et je suis disposé à croire que les cas dans lesquels la pédérastie passive amène de semblables lésions, sont sinon tout à fait exceptionnnels, au moins fort rares. Elles se rencontrent plus fréquemment peut-être chez les filles publiques adonnées à la sodomie. M. le docteur Venot de Bordeaux, dans un travail très-intéressant et très-pratique (1), mentionne chez ces prostituées en dehors de tout symptôme vénérien, de profondes déchirures du sphincter, des fissures réfractaires aux procédés opératoires, des hémorrhoïdes irritées, quelquefois suppurantes.

Maladies vénériennes contractées dans les rapports contre nature. — Les rapprochements contre nature sont comme les autres, et, dans un grand nombre de cas, l'occasion et l'origine de maladies vénériennes dont le siége particulier peut être considéré comme un signe très-important de la pédérastie. Je sais que quelques auteurs ne regardent pas ce signe comme plus certain que ceux que j'ai précédemment

(1) *De la pseudo-syphilis chez les prostituées*. Bordeaux, 1859, p. 15.

étudiés; mais c'est là, je ne crains pas de le dire, une proposition tout à fait fausse dans ce qu'elle a d'absolu. Sans doute on ne peut nier que la syphilis, contractée même dans des rapports sexuels réguliers, ne puisse déterminer des accidents du côté de l'anus; mais ce n'est pas de cette manière qu'il convient de poser la question. Il faut prendre en considération, en même temps que le siége, la nature des lésions symptomatiques de la syphilis; et si chez un homme on trouve à la marge de l'anus, un accident primitif caractéristique, un chancre, sans regarder cette circonstance comme une preuve absolue de pédérastie, il est impossible de ne pas y voir une extrême probabilité et un signe d'une très-grande valeur. Il en acquiert bien plus encore, si, sur deux individus suspects, on rencontre chez l'un à l'anus, chez l'autre sur les parties génitales, des chancres situés de façon à se répondre exactement. Il faut remarquer à ce sujet que, dans les rapports contre nature, les accidents se montreront du même côté sur l'organe passif et sur l'organe actif; ce qui est le contraire de ce que l'on observe dans les cas de rapprochements naturels entre les deux sexes, et ce qu'explique suffisamment la différence de position. J'ai noté plus d'un exemple de ce genre dans lesquels la vérité jaillissait, pour ainsi dire, de la simple comparaison des deux individus soumis à l'examen. Je signalerai aussi à l'attention des experts la présence d'un engorgement des ganglions de l'aîne, qui, en l'absence de toute lésion des organes génitaux, peut mettre sur la voie d'un accident syphilitique localisé du côté de l'anus, et ce qu'il est à peine nécessaire de rappeler, la transformation possible sur place du chancre en plaque muqueuse que l'on observe si fréquemment dans la région anale.

Il est une particularité qui mérite d'être remarquée : c'est que, lorsque l'infection syphilitique résulte d'une violence pédéraste accompagnée de déchirure de l'anus, l'explosion des accidents est très-rapide, et peut suivre de très-près le rapprochement contre nature. J'ai vu un chancre de l'anus se développer, au bout de deux jours, chez un jeune garçon qui avait subi un attentat contre nature.

Je ne mentionnerai qu'en passant un fait que je n'ai observé qu'une fois, et qui n'est peut-être pas suffisamment établi. Je veux parler de la blennorrhagie anale résultant d'actes de pédérastie, et caractérisée par un écoulement verdâtre assez abondant, que j'ai rencontrée chez un individu qui avait eu des relations notoires avec un autre atteint de blennorrhagie uréthrale.

Corps étrangers introduits dans l'anus. — Parmi les monstruosités que peuvent enfanter les passions contre nature, et que l'imagination la plus dépravée aurait peine à concevoir, il faut citer ces exemples enregistrés dans les fastes de la chirurgie (1), et qui ne peuvent plus passer pour très-rares, de corps étrangers introduits dans l'anus et dans le rectum. Outre que ces faits se sont présentés pour la plupart chez des individus adonnés à la pédérastie, et peuvent par conséquent être rangés au nombre des signes de ce vice honteux, ils ont un très-grand intérêt, en ce qu'ils peuvent donner une idée des modifications extraordinaires, et tout à fait inattendues, que les habitudes invétérées de sodomie peuvent apporter dans la forme et dans les dimensions de l'orifice anal et de la partie inférieure du gros intestin.

Lorsqu'on parcourt les observations des chirurgiens touchant les corps étrangers introduits dans le rectum, on y voit figurer un gros affiquet de buis, dont les femmes se servent pour tricoter, long d'un bon demi-pied, une navette, une fiole, une bouteille d'eau de la reine de Hongrie ; la queue de cochon introduite dans l'anus d'une fille publique, dont l'his-

(1) *Collection de plusieurs observations singulières sur des corps étrangers les uns appliqués aux parties naturelles, d'autres insinués dans la vessie et d'autres dans le fondement*, par Morand (*Mém. de l'Acad. royale de chirurgie*, 1757, in-4, p. 620).

toire, rapportée par Marchettis, est demeurée célèbre ; un gobelet de verre haut de 3 pouces 1/2, et ayant un diamètre de 1 pouce 7/8 à la base, et de 2 pouces 5/8 au bord, introduit par une prostituée chez un Chinois sexagénaire en état d'ivresse, et dont l'extraction fut faite avec succès par un chirurgien américain (1) ; une fiole à eau de Cologne longue de 28 centimètres, qui, introduite dans le rectum, était venue faire saillie sous les fausses côtes (2) ; un morceau de bois, long de 22 centimètres sur 7 de diamètre, et arrondi à son extrémité, retiré chez un homme dont l'anus était assez élargi pour admettre toute la main de l'opérateur, et chez lequel on trouvait de plus le prépuce déchiré et le méat urinaire fendu et dilaté démesurément ; enfin beaucoup de mes lecteurs se souviendront d'un maître d'études qui est venu mourir à l'Hôtel-Dieu, en 1847, des suites d'un défi infâme, à l'occasion duquel il s'était introduit dans l'anus un verre d'une espèce particulière désigné sous le nom de *chope* et dont tout le monde connaît la dimension (3). L'extraction très-laborieuse des fragments du verre brisé dans l'intestin n'arracha pas une plainte à ce malheureux qui dévorait sa honte ; mais l'inflammation phlegmoneuse qui succéda aux nombreuses déchirures de l'intestin ne tarda pas à l'emporter.

Ces faits sont bien de nature à montrer que la dilatabilité de l'anus et du rectum est presque sans limites, ou plutôt n'en a pas d'autres que celles que lui opposent naturellement les parois osseuses du petit bassin. Du reste, une opération chirurgicale destinée à faire disparaître les atroces douleurs de la fissure, et qui s'est considérablement répandue dans

(1) Observation du docteur Parker, rapportée par M. Ruschenberger, chirurgien de la marine des États-Unis (*Gazette des hôpitaux*, 1849, p. 301).

(2) Communiqué par M. le professeur Velpeau à l'Académie de médecine le 28 août 1849 (*Bulletin de l'Académie de médecine*, t. XIV, p. 1056).

(3) *Gazette des hôpitaux*, 1849, p. 501.

ces derniers temps, la dilatation forcée du sphincter, est venue jeter un grand jour sur ces cas singuliers et jusque-là presque incompréhensibles d'élargissement de l'anus et d'extensibilité excessive du rectum. Il est certain que la dilatation qui s'opère brusquement sous l'effort du chirurgien, se fait plus lentement, mais tout aussi complétement chez le pédéraste livré aux habitudes passives. L'élément nouveau, apporté dans la question par le traitement chirurgical de la fissure à l'anus, ne pourrait être négligé, et devra nous occuper au point de vue des moyens de défense employés pour couvrir les traces de la pédérastie. Nous devons, quant à présent, nous borner à faire ressortir la signification véritablement décisive que ne saurait manquer d'avoir aux yeux de l'expert le fait de l'introduction dans le rectum de corps étrangers volumineux.

Signes spéciaux de certaines habitudes obscènes — Comme je ne veux rien omettre de ce qui peut servir à caractériser les diverses formes de la pédérastie et les moindres traces qui peuvent les faire reconnaître, je mentionnerai la conformation particulière que peut offrir la bouche de certains individus qui descendent aux plus abjectes complaisances. J'ai noté, de la manière la plus positive, chez deux d'entre eux, une bouche de travers, des dents très-courtes, des lèvres épaisses, renversées, déformées, complétement en rapport avec l'usage infâme auquel elles servaient.

DES SIGNES D'HABITUDES ACTIVES DE PÉDÉRASTIE.

J'ai dit que les actes contre nature comprenaient deux sortes d'habitudes, tantôt distinctes, tantôt réunies, les unes actives, les autres passives, et qu'il n'était pas moins important de savoir discerner et caractériser les unes que les autres. Je viens de décrire d'une manière plus complète, et je crois pouvoir ajouter plus exacte, qu'on ne l'avait fait encore, les signes des habitudes passives, les seules dont se soient occupés les médecins légistes. J'arrive à la partie la plus délicate de ma tâche, celle qui a pour objet de faire connaître les signes des habitudes actives qu'ont absolument ignorés, que ne paraissent même pas avoir soupçonnés les auteurs tant anciens que modernes, et à pénétrer ainsi plus avant dans l'étude des caractères auxquels on pourra reconnaître les pédérastes, à quelque catégorie qu'ils appartiennent. Personne ne sera tenté de nier l'importance de cet ordre nouveau, en se reportant aux détails dans lesquels je suis entré sur le rôle particulier qui appartient aux auteurs et aux victimes dans les affaires de chantage et d'assassinat dont la pédérastie est le prétexte et l'occasion. Mais tout le monde a le droit de me demander compte des faits sur lesquels je crois pouvoir fonder les nouveaux signes caractéristiques de la pédérastie active.

Il me sera permis sur ce point d'invoquer l'expérience personnelle que j'ai acquise et dont j'ai précédemment indiqué les éléments, et de dire que, sur les 212 individus que j'ai examinés, j'ai trouvé 92 fois les signes que je vais décrire, 74 fois réunis à ceux qui sont propres aux habitudes passives, 18 fois isolés et constituant l'unique trace du vice qu'il s'agit de reconnaître. Ces nombreuses observations, je les ai contrôlées par les déclarations des agents et des révélateurs, par les aveux d'un certain nombre d'inculpés, et par les diverses circonstances consignées dans chaque dossier, et propres à m'éclairer sur le caractère et les habitudes de chaque individu suspect. J'ai pu ainsi m'assurer de la valeur réelle des signes que j'avais remarqués. Ce n'est pas tout, mes déductions se sont trouvées confirmées par les récits mêmes de quelques auteurs, et de Casper notamment, qui ont, dans certains passages, noté les mêmes particularités, sans en comprendre la signification. Enfin, les personnes habituées à voir des pédérastes ont fait chez quelques-uns des remarques semblables.

Il est à ma connaissance que M. le docteur Caron, médecin du dépôt de la préfecture, a été frappé plus d'une fois de leur exactitude, et je citerai le propos d'une fille publique qui est venue, sans y penser, donner le témoignage le plus naïf en faveur de la spécialité des signes de la pédérastie active.

Formes et dimensions du pénis. — De même que c'est du côté de l'anus que l'on recherche les traces des habitudes passives, de même c'est sur le membre viril que l'on doit s'attendre à trouver la marque des habitudes actives. En effet, je ne crains pas d'affirmer que la conformation du pénis chez les pédérastes présente, sinon toujours, au moins fort souvent, quelque chose de caractéristique. Je sais combien les formes et les dimensions de cet organe sont variables, et pour me mettre, autant que possible, à l'abri des causes d'erreur, j'ai depuis plusieurs années examiné à ce point de vue tous les hommes placés dans le service d'hôpital qui m'est confié. Mais c'est précisément par cette comparaison assidue que j'ai pu me convaincre de la réalité des signes particuliers qu'il me reste à indiquer.

Les *dimensions* du pénis, chez les individus qui se livrent activement à la sodomie, sont ou très-grêles ou très-volumineuses, la gracilité est la règle très-générale, la grosseur la très-rare exception ; mais, dans tous les cas, les dimensions sont excessives dans un sens ou dans l'autre. Il est bien entendu que je parle du membre viril considéré hors l'état d'érection, et que, ainsi que je l'ai fait remarquer en parlant de la visite des individus accusés de viol ou d'attentat à la pudeur, il faut tenir compte des changements que l'éréthisme vénérien doit apporter dans le volume de l'organe.

Quant à la *forme*, elle a quelque chose de beaucoup plus remarquable et de vraiment caractéristique, variant d'ailleurs suivant les dimensions du pénis. Dans le cas où il est petit et grêle, il va en s'amincissant considérablement, depuis la base jusqu'à l'extrémité qui est très-effilée, et rappelle tout à fait le *canum more*. C'est là la forme la plus ordinaire, celle que j'ai rencontrée un très-grand nombre de fois, et que Casper semble avoir décrite, à son insu, dans sa neuvième et sa dixième observation, où il note la remarquable gracilité de la verge, et l'extrême petitesse du gland. C'est elle qui avait frappé les yeux expérimentés de cette fille publique qui, dans sa déposition concernant un individu qui voulait exiger qu'elle se soumît à des actes de sodomie, signalait d'elle-même chez lui cette conformation particulière : « un « membre très-mince, grêle, évidé par le bout. » Cette remarque, sortie d'une telle bouche, a par elle-même quelque chose de trop significatif, pour que j'aie cru pouvoir la passer sous silence et dédaigner un semblable témoignage.

Lorsque, au contraire, le pénis est très-volumineux, ce n'est plus la totalité de l'organe qui subit un amincissement graduel de la racine à l'extrémité : c'est le gland qui, étranglé à sa base, s'allonge quelquefois démesurément, de manière à donner l'idée du museau de certains animaux. De plus, la verge, dans sa longueur, est tordue sur elle-même, de telle sorte que le méat urinaire, au lieu de regarder directement en avant et en bas, se dirige obliquement à droite ou à gauche. Cette torsion et ce changement dans la direction de l'organe sont quelquefois portés très-loin, et paraissent d'autant plus marqués que ses dimensions sont plus considérables.

Il est encore une autre forme particulière que peut affecter le pénis, et qui se rencontre plus spécialement chez les individus adonnés à la masturbation. Celle-là est bien connue ; et notre excellent confrère, M. Jacquemin, s'il ne l'a pas découverte, l'a certainement rendue vulgaire dans les prisons, où je l'ai observée un très-grand nombre de fois. On peut la désigner sous le nom de pénis en massue : elle consiste en effet en un renflement globuleux de l'extrémité de la verge dont le gland est élargi et comme aplati.

Tels sont les différents caractères que peut fournir l'examen du membre viril chez les pédérastes. Quelque nouveaux qu'ils soient, quelque inattendus ou incertains qu'ils puissent paraître, je crois qu'il est facile d'en donner une explication qui en fera mieux saisir la réalité et la véritable portée.

Parmi ces déformations du pénis, les unes, telles que l'amincissement, l'étranglement et l'élongation du gland, répondent très-exactement à la disposition infundibuliforme de l'anus sur lequel elles se moulent en quelque sorte; de même que la torsion et le changement de direction de la verge s'expliquent par la résistance de l'orifice anal proportionnée au volume du membre et exigeant pour l'intromission une sorte de mouvement de vis ou de tire-bouchon, qui à la longue s'imprime sur l'organe tout entier. Rien ne doit surprendre du reste dans cette modification de la forme d'un organe sous l'influence d'une compression répétée et d'une habitude invétérée. Je me contenterai de signaler les nombreuses analogies que fournit à cet égard l'histoire des professions que j'ai étudiées ailleurs à ce point de vue (1), et en particulier la déformation des lèvres de certains instrumentistes qui donne la preuve que les parties les moins résistantes, et en apparence les plus souples, les plus flexibles, n'échappent pas à l'effet d'une pression non pas même continue, mais fréquente, telle que celle que subit le membre viril chez les pédérastes.

QUESTIONS MÉDICO-LÉGALES RELATIVES A LA PÉDÉRASTIE.

L'objet de cette longue et pénible étude, dans laquelle je n'ai reculé, ni devant l'image de la dégradation morale, ni devant les traits les plus repoussants des déformations physiques qu'entraine la pédérastie, a été uniquement de donner

(1) *Mémoire sur les modifications que détermine dans certaines parties du corps l'exercice des diverses professions*, par Ambroise Tardieu (*Ann. d'hyg. et de méd. lég.*, 1849, t. XLII, p. 388).

au médecin légiste les moyens de reconnaître les pédérastes à des signes certains, et de résoudre ainsi, avec plus de sûreté et d'autorité qu'il n'avait pu le faire jusqu'à présent, les questions sur lesquelles la justice invoque son assistance pour poursuivre et extirper, s'il est possible, ce vice honteux. Le moment est venu de tirer la conclusion pratique des faits que nous avons rassemblés, et, après avoir tracé la voie et rendu le but visible, de nous efforcer d'y atteindre.

Les affaires de pédérastie ne soulèvent le plus souvent qu'un petit nombre de questions médico-légales fort simples, qui, par cela même, exigent de l'expert une solution nette et précise. Elles sont au nombre de quatre, auxquelles on pourrait presque se contenter de répondre par oui ou par non. Existe-t-il des traces d'attentat contre nature commis avec violence? Existe-t-il des traces d'habitudes de pédérastie ? La syphilis a-t-elle pu être communiquée par le fait de la sodomie? L'assassinat a-t-il été précédé ou favorisé par des actes contre nature? Telles sont les questions que le magistrat posera au médecin, et qui ne demanderont pas à celui-ci de longs développements. Son rôle cependant ne sera pas toujours aussi restreint; il pourra arriver, en effet, qu'il ait à s'expliquer sur les moyens de défense allégués par les individus suspects. Aussi aurai-je soin d'indiquer quelles sont et ce que valent, en général, ces justifications. Mais, avant tout, je crois utile d'entrer dans quelques détails sur la manière de procéder à la visite et à l'examen des pédérastes. L'expert trouvera ainsi réunies, je l'espère, toutes les indications propres à lui rendre plus facile l'accomplissement d'une mission toujours délicate, où il ne doit se laisser entraîner ni à trop d'assurance, ni à des scrupules exagérés.

De la manière de procéder à l'examen des pédérastes. — Je n'ai que peu de mots à dire sur la manière dont il convient de procéder à l'examen des pédérastes : ce n'est pas à des médecins qu'il est nécessaire de tracer une règle de conduite que feront nécessairement varier et la position et le caractère du sujet à examiner, et le lieu et les circonstances dans lesquels s'opérera la visite, et enfin les habitudes d'esprit et le jugement particulier de l'expert. Je me contenterai d'une simple remarque : c'est que, à part les protestations hypocrites et les tergiversations de quelques-uns, la plupart se soumettent sans difficulté, et d'eux-mêmes, en quelque sorte, à l'examen. Je n'ai rencontré qu'un seul individu qui se soit absolument refusé à toute inspection, et c'est un de ceux qui, sous le poids des charges les plus accablantes, a été frappé par la plus dure condamnation.

Lorsque je procède, comme cela a lieu le plus souvent, dans une prison, je m'abstiens à dessein d'indiquer au détenu l'objet de ma visite : je lui commande de se déshabiller, et très-souvent, sans autre forme, il prend spontanément la position la plus favorable à mon inspection. Je me garderais bien de rien conclure de positif d'une semblable manière d'agir ; mais elle a quelque chose de significatif, et est bien de nature à frapper. Du reste, je ne manque jamais d'explorer successivemeut l'anus et les parties sexuelles, et je ne crains pas de dire que désormais tout rapport concernant l'examen d'un pédéraste devra énoncer les résultats de cette double exploration.

Il est cependant quelques erreurs possibles, contre les quelles il importe particulièrement d'être mis en garde, et que je crois utile de signaler.

Un moyen bien connu des pédérastes, et par lequel ils s'efforcent de dissimuler les traces caractéristiques de leur infamie, consiste à contracter fortement les fesses. Ils peuvent ainsi faire qu'au premier abord il soit très-difficile de les écarter, et empêcher l'infundibulum et le relâchement du sphincter de devenir apparents ; mais il suffit, ou de les faire changer brusquement de position, ou de les faire mettre à genoux sur le bord d'une chaise dans une attitude gênante, ou simplement de prolonger l'examen de manière à fatiguer les muscles contractés, pour triompher de cette supercherie grossière. De même, dans les cas où la disposition infundibuliforme est peu marquée ou même fait défaut, si l'on veut apprécier le relâchement du sphincter, il ne faut pas se borner à examiner du regard la conformation de l'orifice anal où il peut exister encore un mince anneau contractile. L'introduction du doigt est nécessaire, et montre derrière cet obstacle, dont elle permet d'apprécier le peu de résistance, une dilatation parfois excessive de lapartie inférieure du rectum. Enfin, dans d'autres cas, un seul coup d'œil suffira pour faire reconnaître l'élargissement et l'incontinence, au trou béant que forme l'ouverture de l'anus souvent souillée par des matières intestinales, et dans laquelle se trouvent souvent engagés des débris solides d'excréments que le sphincter est impuissant à retenir.

Certaines dispositions particulières, naturelles ou acquises, peuvent modifier la conformation des parties à examiner et rendre moins apparents ou moins faciles à saisir les signes de pédérastie. Tels seraient les effets de l'âge, par exemple, qui donnent aux chairs une extrême flaccidité; celle-ci empêche d'apprécier exactement le degré de relâchement qui pourrait être attribué à des habitudes honteuses. Tel est encore ce vice de conformation très-singulier et très-rare que j'ai déjà signalé, dans lequel les fesses réunies en une seule masse ne peuvent se prêter à la déformation infundibuliforme qui résulte surtout du refoulement de l'anus au fond de la fente médiane.

Enfin il est certaines maladies du rectum ou de l'anus, certaines opérations pratiquées sur ces parties, qui pourraient en changer jusqu'à un certain point la forme. La fistule opérée par excision, la fissure traitée par la dilatation forcée, les tumeurs hémorrhoïdales détruites par le feu, laissent, soit une perte de substance, soit un élargissement de l'orifice anal et un relâchement du sphincter qui n'en imposeraient qu'à un observateur superficiel. D'ailleurs, les sujets que l'on visite ne manquent pas de se prévaloir de ces motifs d'excuses, et l'expert n'a guère qu'à contrôler la véracité de ces assertions; ce qui, dans la plupart des cas, ne présentera pas de grandes difficultés. Seulement, c'est un devoir pour le médecin légiste d'apporter le plus grand soin à constater les moindres particularités, et de rechercher si la forme des cicatrices, si leur siége, leur étendue, peuvent en faire reconnaître exactement la nature. La coïncidence possible de semblables infirmités avec des habitudes de pédérastie complique encore la question; et le plus souvent on sera réduit à admettre une probabilité sans pouvoir arriver à une conclusion formelle. Il y a aussi à examiner attentivement s'il existe quelque trace d'affection vénérienne, non-seulement en vue de déterminer si elle aurait pu être contractée par le fait d'actes contre nature, mais encore si elle peut être considérée comme un indice de relations sexuelles.

Existe-t-il des traces de violences sodomiques? — Les cas dans lesquels le médecin expert est appelé à constater des traces de violences sodomiques sont relativement rares, et ne se rencontrent guère que chez les femmes ou chez les jeunes enfants, filles ou garçons, victimes d'attentats contre nature. Ce sont ceux-là, du reste, qui présentent le moins de difficulté. L'inflammation, la rougeur, la chaleur, le prurit douloureux, l'ecchymose, l'excoriation et la déchirure de l'anus, la contusion ou l'irritation des parties sexuelles et notamment de l'urèthre, ainsi que la gêne de la marche, une sensation de pesanteur douloureuse dans le bassin, l'agitation, la fièvre même qui en dérivent, ne peuvent laisser de doute sur la réalité des violences; et il n'est pas un auteur qui conteste dans ce cas le droit de conclure avec certitude; pour plusieurs même, il n'est permis de le faire que dans ces conditions en quelque sorte flagrantes. L'expert ne devra pas, d'ailleurs, se borner à établir qu'il existe des traces de violences, soit locales, soit générales : il aura à faire le rapprochement et la comparaison des désordres observés chez la victime avec le volume des organes de l'inculpé, sur lequel il faudra rechercher toujours les traces d'habitude de pédérastie, tant actives que passives. Il conviendra, enfin, de tenir compte, dans l'appréciation des faits, de l'âge, du sexe, de la constitution et des différentes conditions physiques du sujet qui a subi les violences.

Du reste, il importe de faire remarquer que le plus souvent les constatations de cette nature ne pourront être réellement utiles que pour des faits assez récents; les symptômes de simple irritation ou d'inflammation superficielle pouvant disparaître en deux ou trois jours. Mais déjà, s'il y a déchirure plus ou moins profonde, et rupture plus ou moins complète, du sphincter, on peut compter sur des signes de violences plus persistants et plus caractéristiques à la fois. A plus forte raison, si une maladie honteuse a été la conséquence de cet odieux attentat, on aura à en suivre ici le développement, la marche et les différentes phases de la même manière que dans les cas de viol commis sur des femmes, et ainsi que nous l'avons précédemment indiqué. Le médecin légiste pourra de la sorte éclairer la justice sur des faits déjà anciens dont il saura préciser la nature et souvent même la date. Il faut donc donner une attention toute spéciale aux accidents syphilitiques qui peuvent exister chez la victime en même temps que chez les auteurs des violences sodomiques.

Existe-t-il des traces d'habitudes de pédérastie ? — L'étude approfondie que j'ai tentée des différents signes des habitudes actives et passives de la pédérastie aura eu pour effet, je l'espère, de faire pressentir quelle valeur ils me paraissent mériter. Quoique non absolument constants, la plupart sont cependant caractéristiques; et en contester la signification ou reculer, dans la pratique de la médecine légale, devant leur application rigoureuse, c'est s'exposer à conclure négativement dans les cas les plus positifs, c'est décliner en quelque sorte le mandat de justice que l'on a accepté. Casper n'a pas fui ce genre d'erreur, lorsque, d'après onze faits seulement, rapportés dans son mémoire, il n'a pas craint de dire que tous les signes locaux ou généraux, indiqués par les écrivains, ne méritaient aucune considération, attendu qu'ils pouvaient tous manquer, et manquaient en réalité fort souvent. L'impuissance à laquelle se condamnent ceux qui ne savent pas s'affranchir du doute dans les circonstances où le doute est le moins permis, n'a jamais été mise à découvert d'une manière plus évidente que dans l'affaire Tessié en 1838. La correspondance, les mœurs, les relations de la victime, les aveux même du meurtrier, établissaient clairement que la pédérastie avait été en réalité la cause et l'occasion de l'assassinat. Cependant les experts, rendant compte de l'examen fait sur le cadavre de Tessié d'une part et de l'autre chez Guérin, l'assassin, s'exprimaient ainsi pour le premier : « L'anus est assez enfoncé; il suffit d'écarter les « cuisses pour que l'ouverture de l'anus soit béante. Toute- « fois, ce n'est pas la dilatation et la disposition infundibuli- « forme que fait naître l'habitude de la pédérastie. Cette « ouverture nous paraît seulement plus enfoncée et plus élar- « gie que de coutume; » et pour le second : « L'anus est « assez enfoncé et présente une tendance à former une sorte « d'entonnoir; mais cette disposition n'est pas assez pronon- « cée pour qu'elle nous paraisse le résultat de l'habitude de « se livrer à l'acte de la pédérastie. » La description que j'ai donnée des signes physiques des habitudes contre nature, permet de juger si les traces constatées chez ces deux individus n'autorisaient pas une conclusion moins timide, et s'il n'est pas regrettable que la science soit restée dans cette affaire au-dessous de toutes les autres sources d'information d'où a jailli la vérité.

J'ai dit par quel procédé, par quelles investigations répétées, par quel contrôle sévère, j'avais cherché à donner à mes propres observations toutes les garanties possibles d'exactitude, et à me mettre en garde contre toute chance d'erreur. C'est donc avec une pleine confiance que je crois pouvoir en faire aujourd'hui l'application à la pratique des expertises médico-légales, et accorder la valeur de signes positifs aux caractères physiques de la pédérastie, à la condition que ceux-ci seront analysés avec soin, comparés entre eux isolément et dans leur ensemble, en même temps qu'au point de vue de la conformation individuelle de chacun des sujets à examiner.

Les résultats des constatations que peut faire le médecin dans la visite des pédérastes sont de trois ordres : soit négatifs, soit caractéristiques d'habitudes actives ou d'habitudes passives.

Dans le premier cas, lorsque aucune trace matérielle, lorsque aucune particularité quelconque, physique ou morale, ne peut laisser subsister le moindre doute dans l'esprit et dans la conscience de l'expert, il ne doit pas craindre de formuler très nettement des conclusions négatives ; mais il est des circonstances dans lesquelles l'examen direct des organes ne lève pas tout motif de suspicion, et où, tout en ne trouvant pas dans les organes les caractères tranchés que nous avons indiqués, le médecin peut craindre d'être contredit par des faits avérés, par des témoignages constants, parfois même par les preuves accablantes d'un flagrant délit. Une réserve est ici non-seulement permise, mais nécessaire, et impérieusement commandée par l'intérêt même de la vérité et de la justice. Il faut, après avoir signalé l'absence de traces positives de pédérastie, dire formellement qu'il est possible que, chez certains individus, ces habitudes vicieuses existent sans avoir laissé leur empreinte dans la conformation physique. De la sorte, l'expert n'aura pas à craindre de n'avoir dit qu'une partie de la vérité, et donnera à la justice tout ce qu'elle est en droit d'attendre de la science.

Les *signes d'habitudes passives*, tels que je les ai énumérés et décrits, ne se réduisent pas seulement, ainsi qu'on paraît le croire si généralement, au caractère isolé et unique de l'anus infundibuliforme. Ils constituent un ensemble défini, et si tous n'ont pas une égale valeur, ils en acquièrent une considérable par leur réunion. Il n'est pas rare, en effet, de rencontrer à la fois l'infundibulum, le relâchement du sphincter, la dilatation extrême de l'anus et l'incontinence des matières. De tels cas ne laissent pas place à l'incertitude, et n'autorisent pas des conclusions douteuses. Ils appartiennent à la pédérastie ancienne et invétérée. Mais si l'on considère isolément chacun de ces caractères, en est-il qui méritent plus que d'autres d'être admis comme signes positifs d'habitudes honteuses ? En d'autres termes, pourra-t-on, en l'absence d'un ou de plusieurs des caractères distinctifs, conclure à la réalité de la pédérastie ? Je n'hésite pas à l'affirmer. Le relâchement du sphincter, lors même qu'il n'est pas porté jusqu'à l'extrême dilatation, qu'il n'est pas accompagné d'un infundibulum bien formé, suffit pour caractériser les habitudes passives, soit qu'il y ait effacement des plis radiés de l'anus, le moins incertain des signes, de l'aveu de Casper, soit que, au contraire, les replis cutanés forment au pourtour de l'orifice anal un bourrelet épaissi ou des caroncules saillantes. De même, lorsque par suite de la conformation particulière des fesses ou par le rapprochement des deux extrémités du sphincter, l'anus forme un trou béant, à travers lequel s'échappent des matières même durcies, qui hésiterait à reconnaître un pédéraste ? J'en dirai autant des monstrueux exemples d'introduction de corps étrangers volumineux dans l'anus. Mais je suis loin d'accorder une semblable valeur aux traces de maladies du rectum ou de l'anus que peut faire naître la pédérastie, mais qui n'ont rien d'assez caractéristique pour que leur seule présence justifie des conclusions formelles. Tels sont les ulcérations, les rhagades, les crêtes, les condylomes, les hémorrhoïdes, les fistules, quelles que soient d'ailleurs leur forme et leur situation sur tel ou tel point de la marge de l'anus. Il est juste de reconnaître que ces affections ne se montrent presque jamais isolément, et qu'on ne les rencontre d'ordinaire que chez des pédérastes qui présentent d'autres signes, plus tranchés et comme une complication des déformations de l'anus que je viens de rappeler. Je ne dirai qu'un mot de ce qui a trait à la forme des lèvres et de la bouche chez certains individus livrés aux plus basses complaisances. Si j'ai signalé cette particularité, c'est parce que je l'ai notée dans des circonstances où il était impossible de ne pas être frappé de ce qu'elle offrait de significatif. Mais je me garderai bien d'exagérer la portée de cette remarque et de voir d'une manière absolue, dans une conformation plus ou moins analogue de la bouche, la marque des habitudes infâmes dont il s'agit.

Les *signes des habitudes actives*, pour être moins nombreux et plus nouvellement constatés, n'en ont pas pour cela une valeur moindre à mes yeux ; et je ne doute pas que tous ceux qui seront en mesure de répéter mes observations n'en reconnaissent la justesse. Je ne rappellerai d'ailleurs pas ici sur quels faits j'ai cru pouvoir établir ces signes, qui, pour être bien appréciés, demandent que l'expert tienne compte à la fois du volume naturel et de la conformation normale du membre viril aussi bien que des changements qui ont pu survenir, soit dans sa dimension, soit dans sa forme. Il ne faut pas oublier qu'au pénis grêle répondent l'amincissement graduel et la terminaison effilée ; et au pénis volumineux, la torsion du membre sur lui-même, le changement de direction du méat urinaire et l'élongation avec l'étranglement du gland à sa base. On comprend d'ailleurs que ces signes ne peuvent avoir de véritable valeur pratique qu'autant qu'ils sont suffisamment prononcés. Mais j'ai hâte d'ajouter qu'ils le sont en général beaucoup, et que c'est là précisément ce qui m'a conduit moi-même à y donner l'attention et y attacher l'importance qu'ils méritent.

En résumé, je crois que la question de savoir s'il existe chez un individu des traces d'habitudes de pédérastie peut être en toute assurance résolue aujourd'hui, et avec plus de raison encore, de la même manière que le faisait Zacchias, il y a deux siècles : « En examinant en eux-mêmes « ces signes et leurs causes, avec une grande circonspection « et sans négliger les conjectures et les présomptions « extra-médicales, le médecin pourra prononcer facilement « sur la réalité des actes de pédérastie. *Medici de hac re* « *facilè veritatem pronuntiare poterunt.* »

La syphilis a-t-elle pu être communiquée par le fait de la sodomie ? — Cette question se présente naturellement d'elle-même dans un assez grand nombre de cas, et s'il n'est pas toujours permis à l'expert d'y répondre d'une manière absolue, il peut du moins le plus souvent trouver dans l'examen de deux individus, dont l'un aurait communiqué la maladie à l'autre, les moyens de la résoudre.

Le siége et la nature de l'accident syphilitique communiqué ont, quoi qu'on ait pu dire, une importance presque décisive. J'ai dit déjà comment se présentaient, en effet, ces sortes de cas où il n'est pas rare de trouver, d'une part, au bord de l'anus ou à l'entrée de rectum, soit chez un homme, soit chez une femme, un chancre très-caractérisé, et, d'une autre part, sur l'individu inculpé, l'ulcère spécifique dans un point exactement correspondant de l'extrémité de la verge. De tels faits ont d'autant plus de valeur que les circonstances dans lesquelles chez l'adulte, un accident primitif se développe à l'anus sans qu'il y ait eu de rapprochement contre nature, sont, on en conviendra, tout exceptionnelles. L'expert pourra donc, sans trop s'avancer, conclure alors, non-seulement à la possibilité, mais encore à la probabilité de la contagion par le fait d'actes de sodomie.

Il serait plus difficile de se prononcer, s'il s'agissait de reconnaître l'origine d'accidents secondaires, et je ne saurais conseiller alors trop de réserve. Mais, comme les lésions spécifiques qui se développent au pourtour de l'anus sont principalement des plaques muqueuses, il ne faudrait pas oublier la possibilité et même la fréquence de la transformation du chancre *in situ*, et dans ce cas même établir encore que la syphilis a pu être contractée dans un rapprochement contre nature. Je ne crois pas utile de revenir ici sur les détails dans lesquels je suis entré au sujet du viol et de l'attentat à la pudeur, et de redire comment on peut remonter, d'après l'évolution connue des symptômes syphilitiques, à la date des actes incriminés. Il sera facile de faire à la pédérastie l'application de ces données générales. Je me bornerai à cette simple remarque, que le développement d'un accident primitif peut suivre de très-près les violences sodomiques accompagnées de déchirures de l'anus, et que la transformation d'un chancre en plaque muqueuse dans cette région peut aussi être très-rapide. C'est une double circonstance dont il importe de tenir compte.

L'assassinat a-t-il été précédé ou favorisé par des actes contre nature? — Les assassinats commis sur des pédérastes par leurs compagnons de débauche, châtiment terrible de relations infâmes, ont été depuis quelques années assez fréquents pour appeler de la part des médecins légistes une attention particulière : car les circonstances, presque toujours identiques, dans lesquelles ces crimes se sont produits ont exigé, non-seulement la constatation des violences homicides et les différentes recherches relatives au meurtre, mais encore la démonstration des actes contre nature qui auraient servi de prétexte et d'occasion à l'assassinat. De là, la nécessité d'examiner, au point de vue spécial qui nous occupe, le cadavre de la victime et la personne du meurtrier.

Pour le premier, on peut tenir compte de la position dans laquelle le corps a été trouvé. Presque toujours il sera couché au lit, ou, s'il y a eu lutte, précipité à terre près du lit, nu ou à peine vêtu. Le médecin, appelé au premier moment à constater l'état du cadavre de Richeux, faisait remarquer qu'il était étendu sur le côté dans la pose de l'hermaphrodite antique, situation dans laquelle il s'offrait aux approches immondes de l'assassin qui lui avait coupé la gorge. Letellier, en chemise, avait roulé de son lit à terre, et s'était meurtri les genoux et les jambes en se débattant sous l'étreinte de Pascal qui l'étranglait. Leur cadavre porte souvent aussi la trace de violences dirigées spécialement sur les organes génitaux. J'ai trouvé chez Bivel et chez Letellier des ecchymoses profondes des bourses; de ses attouchements obscènes, le meurtrier pédéraste fait une blessure terrible. La visite de ceux qui succombent dans des circonstances semblables révélera le plus ordinairement des habitudes actives et passives de pédérastie. Mais il est important de faire remarquer que le relâchement du sphincter, qui est une conséquence naturelle de la mort, perdra ici sa valeur comme signe de pédérastie. Il n'en sera pas de même de l'infundibulum, de l'effacement des plis radiés et de la dilatation extrême de l'anus, qui demeurent caractéristiques, aussi bien que les changements dans la forme du pénis que j'ai précédemment signalés. Enfin, il conviendra de rechercher si, par hasard, il y aurait du sperme dans la partie inférieure du rectum, bien que cette circonstance doive sans doute être assez rare, la victime étant le plus souvent frappée au moment où l'acte contre nature se prépare, et jouant d'ailleurs, en général, le rôle actif. On trouve, il est vrai, plus fréquemment dans ce cas de la liqueur séminale dans l'urèthre. Mais il faut se garder d'attribuer toujours cette particularité à l'excitation vénérienne qui aurait précédé le meurtre. L'émission du sperme est, comme on sait, un fait commun à un grand nombre de morts violentes, et notamment à la strangulation, mode d'assassinat qui a été souvent employé sur des pédérastes.

Quant à l'assassin, il fera le plus ordinairement partie de ce monde abject où se recrute la prostitution pédéraste et que flétrit le nom de *tante*. Aussi présente-t-il presque toujours au plus haut degré les signes les plus tranchés de la pédérastie passive, et il sera facile de le reconnaître au portrait que j'en ai tracé.

Appréciation des moyens de défense allégués par les pédérastes. — La tenue et le langage des pédérastes qui subissent la visite du médecin, les excuses et les moyens de défense qu'ils allèguent, sont si constamment les mêmes, et si faciles à prévoir par avance, qu'il suffira de quelques lignes pour les faire connaître.

La plupart commencent par nier; quelques-uns protestent, feignent de ne pas comprendre ou s'indignent d'être soupçonnés : ils font bien quelques difficultés pour se soumettre à la visite, mais je n'en ai vu qu'un seul s'y refuser obstinément, et j'ai dit quelle était sa moralité. Je ne prétends pas qu'il ne puisse arriver que, par une erreur fatale, les poursuites s'adressent à des innocents, et que l'honneur d'un homme injustement accusé dépende de la sagacité et de l'expérience du médecin. Celui-là recherchera avec empressement, et appellera hautement le témoignage de la science.

Mais il n'est pas rare aussi d'en rencontrer, parmi les plus compromis, qui affectent d'aller au-devant de l'examen de l'homme de l'art; ils prennent soin seulement de l'avertir qu'il ne devra pas s'étonner de les trouver « faits autrement que les autres; » et ils inventent cent motifs imaginaires pour expliquer les désordres que leurs organes doivent offrir à l'expert. L'un se dit anciennement opéré de tumeurs hémorrhoïdaires, de fistule; l'autre a eu les cuisses démises : il est obligé pour éviter des gerçures de se faire des onctions qui ont pu élargir l'anus. Un troisième est sujet à une irritation locale qui l'oblige à de fréquents bains de siéges, à l'usage de remèdes quotidiens qui auraient pu amener un relâchement. Est-il nécessaire de dire le cas que l'on doit faire de pareilles allégations, et d'indiquer comment le médecin légiste pourra en faire justice, soit qu'elles n'aient absolument aucun prétexte, soit qu'elles reposent sur quelque circonstance particulière, telle qu'une opération ancienne ou une infirmité réelle dont il sera facile de faire la part, et d'apprécier le caractère et la véritable origine.

Il est aussi une prétention très-ordinaire chez les pédérastes et sous laquelle ils s'efforcent de dissimuler leurs goûts dépravés : c'est l'amour des femmes. Les uns allèguent leur état de légitime mariage, les autres se donnent des maîtresses : ils ne manquent pas d'énumérer avec affectation les maladies qu'ils ont gagnées avec des femmes. Mais ces justifications vaines, engendrées par la croyance très-générale que les rapports sexuels sont incompatibles avec les habitudes contre nature, tombent devant les faits nombreux et constants qui nous ont montré ce vice honteux chez des hommes mariés et chez des individus associés à des femmes de mauvaise vie.

Je ne reviendrai pas sur les excuses communes aux pédérastes et aux hommes inculpés d'attentats à la pudeur ou de viol, et qui consistent en prétendues infirmités capables d'éteindre toutes passions et d'empêcher tout commerce sexuel. J'ai montré dans la seconde partie de cette étude quelle confiance méritaient ces prétentions, que le plus simple examen permettra de réduire à leur juste valeur.

Il y aurait une attention plus sérieuse à donner à l'état mental de certains individus convaincus de pédérastie, et chez lesquels la perversion morale pourrait atteindre jusqu'à la folie. J'ai dit que l'affaiblissement des fonctions intellectuelles et des facultés affectives pouvait être le dernier terme des habitudes honteuses des pédérastes. Mais il ne faut pas confondre cet état, en quelque sorte secondaire, avec les excès de la débauche et les entraînements de la dépravation. Quelque incompréhensibles, quelque contraires à la nature et à la raison que puissent paraître les actes de pédérastie, ils ne sauraient échapper ni à la responsabilité de la conscience, ni à la juste sévérité des lois, ni surtout au mépris des honnêtes gens.

OBSERVATIONS DE PÉDÉRASTIE ET DE SODOMIE.

Je terminerai la description que je viens de tracer des signes de la pédérastie par la relation de quelques exemples choisis parmi ceux qui, dans le grand nombre de visites de ce genre dont j'ai été chargé, m'ont paru offrir le plus de caractère et de signification. Ces observations comprennent l'examen de vingt-trois individus. On y remarquera particulièrement plusieurs exemples de sodomie conjugale, la description des signes propres aux habitudes actives de pédérastie, et des formes de syphilis communiquée par des actes contre nature ; ainsi que la relation de deux cas d'assassinat commis par des pédérastes.

OBSERV. I. — *Attentat contre nature commis sur une femme par son mari. — Signes caractéristiques de sodomie : désordres très-graves.*

Le fait que l'on va lire est un des plus graves que j'aie rencontrés.

J'ai été appelé le 15 janvier 1854 à visiter la femme Lévêque, âgée de

18 ans, mariée depuis cinq mois à un homme qui lui a fait subir tous les mauvais traitements, et qui dès le premier jour a abusé d'elle de toutes les manières.

Cette jeune femme, qui, sans être bien vigoureuse, ne paraît pas d'une mauvaise constitution, est en ce moment dans un état de faiblesse et de marasme qui atteste une longue et profonde souffrance, et cependant, au dire même de la femme Lévêque, cet état s'est amélioré depuis quelque temps. Elle est pâle, chétive, atteinte de palpitations avec bruit de souffle anémique au cœur, de difficulté de respirer. Les fonctions digestives ont été gravement troublées, une diarrhée très-rebelle a duré jusqu'à ces derniers jours, mais a cessé aujourd'hui. La femme Lévêque se plaint surtout d'une sensation de brisement des hypochondres qu'elle attribue aux contusions qu'elle aurait reçues. Nous devons dire qu'il n'existe aucune trace apparente de ces contusions, circonstance qui peut tenir au temps qui s'est écoulé depuis que la femme Lévêque est à l'abri des violences dont elle se dit victime. Les parties sexuelles ne sont le siége d'aucune lésion particulière. Nous remarquons seulement un écoulement abondant de flueurs blanches. Quant aux attentats, ils ont laissé des traces manifestes.

Le périnée est large et plat, d'autant plus que la maigreur est extrême. D'où il résulte que l'anus, dont les plis sont complétement effacés, n'est pas déprimé ni infundibuliforme, mais constitue un trou régulier, arrondi et comme béant au milieu du périnée. Les deux anneaux contractiles du sphincter qui ferment l'orifice anal sont relâchés à tel point que les matières ne peuvent pas être complétement retenues et que la dilatation en est pour ainsi dire permanente. Ni déchirure, ni fissure, ni hémorrhoïdes.

1° La femme Lévêque est dans un état de maladie et d'affaiblissement qui peut être la conséquence des mauvais traitements auxquels elle a été en butte, et dont il n'existe plus aujourd'hui de traces apparentes.

2° Cette maladie doit occasionner une incapacité de travail de plus d'un mois.

3° Il existe sur la personne de la femme Lévêque des traces de violences résultant d'attentats contre nature qui ont été certainement fréquents et répétés.

4° Ces violences ont produit une déformation qui dégénère en une véritable infirmité et qui persistera toujours à un certain degré.

OBSERV. II. — *Habitudes actives et passives. — Signes caractérisés. Marisques.*

B..., cordonnier, âgé de 40 ans environ, a été arrêté au mois de juillet 1850, place de la Bastille, dans un groupe où l'on jouait à la main chaude et où ses gestes indécents l'avaient fait remarquer.

Avant de se soumettre à mon examen, cet homme me prévient que je ne trouverai pas « son derrière fait comme les autres, » parce qu'il avait été anciennement opéré pour des tumeurs hémorrhoïdaires; et qu'il en était encore atteint en ce moment. Il a protesté d'ailleurs avec des larmes que, s'il avait eu les goûts qu'on lui reproche, il ne les aurait pas satisfaits de cette manière.

L'ayant fait déshabiller complétement, nous avons constaté que le membre viril, très-long et volumineux, présente à son extrémité une élongation et un amincissement caractéristiques qui donnent au gland la forme presque pointue d'un pénis de chien. Il n'existe aux parties génitales aucune trace de maladies syphilitique ancienne ou récente.

La région de l'anus offre une disposition non moins significative. Après avoir écarté les masses musculaires qui forment les fesses, on découvre une sorte de cavité large et profonde, au fond de laquelle s'ouvre l'orifice anal, et qui constitue une sorte d'infundibulum à large ouverture et comme cratériforme. L'ouverture de l'anus est elle-même considérablement dilatée et agrandie dans le sens longitudinal. Un repli cutané assez étendu, formé par d'anciennes tumeurs hémorrhoïdaires, flasques et non turgescentes, forme à droite de l'anus comme une sorte de valvule. Les tumeurs qui ont pu être enlevées au pourtour de cette partie, n'ont laissé qu'une trace peu apparente, et n'ont en aucune façon contribué à produire les déformations considérables qui existent à la région anale. Il n'y a pas non plus d'altérations de nature vénérienne dans cette partie.

OBSERV. III. — *Habitudes actives de pédérastie. — Signes très-probables.*

Le sieur F. D..., Anglais, âgé de 37 ans, rentier, arrêté dans les terrains vagues du haut de la rue de Clichy, examiné le 19 novembre 1850, n'offre rien à noter dans son extérieur.

Avant de se soumettre à la visite, il dit qu'il croit devoir nous prévenir qu'il a eu la cuisse démise, qu'il a les fesses très-développées et est obligé de les oindre avec de la pommade pour éviter les gerçures.

Les fesses sont régulièrement développées. L'orifice anal normalement conformé, sans disposition infundibuliforme. Le doigt, introduit dans le rectum, y pénètre sans difficulté; mais D... contracte fortement les fesses, de manière à resserrer le plus qu'il peut l'ouverture de l'anus: il prétend même ressentir une douleur que dément la facilité avec laquelle le doigt indicateur a pénétré. Il n'y a ni écorchure, ni déchirure, ni traces de syphilis. Les organes génitaux, bien conformés, offrent cependant un amincissement considérable de l'extrémité du pénis qui se termine en pointe.

Il est extrêmement probable que le sieur D... se livre habituellement à la pédérastie, et qu'il prend dans ces honteuses pratiques un rôle plutôt actif que passif.

Les traces de ces habitudes ne sont cependant pas chez lui assez caractérisées pour permettre une affirmation absolue. Mais il importe de faire remarquer que les signes appréciables du vice dont il s'agit manquent souvent chez ceux même qui y sont le plus adonnés.

Observ. IV et V. — *Habitudes actives et passives de pédérastie. — Conformation spéciale du pénis.*

Le 10 novembre 1854, le sieur D..., soldat aux guides, et le sieur L..., cuisinier, 18 ans, ont été arrêtés tous deux le soir, au Champ de Mars, en partie déshabillés.

1° D... présente un enfoncement considérable de l'anus, qui se trouve à l'extrémité d'une sorte d'entonnoir très-profond formé par la dépression des muscles qui entourent l'anus, et qui eux-mêmes dessinent, quand on exerce la moindre traction, une sorte d'ouverture évasée. L'orifice anal est lui-même très-facilement dilatable. Tout le pourtour est sillonné de petites ulcérations et d'érosions superficielles, et souillé de matières incomplétement retenues. D'un autre côté, le membre viril offre une conformation toute particulière. Il est manifestement aminci et comme tordu à l'extrémité, qui est grêle et effilée.

Il n'existe pas de signes d'affection vénérienne.

2° Le sieur L... présente à un moins haut degré des signes semblables, tant du côté de l'anus que vers le pénis. La dilatation infundibuliforme de l'orifice anal est également très-marquée chez lui, et le membre viril, plus volumineux que chez le sieur D..., est aussi aminci et tordu sur lui-même à son extrémité.

Tous deux offrent des signes manifestes d'habitudes actives et passives de pédérastie.

Observ. VI et VII. — *Habitudes actives et passives de pédérastie. — Conformation caractéristique du pénis.*

R..., âgé de 18 ans, commis, a été hébergé par M.... qui l'a pris à demeure chez lui et lui a fait partager son lit depuis 18 mois. Il dit avoir été en butte à des actes répétés de la part de M..., qui proteste du contraire. R... a quitté M... en le volant. Examinés tous deux par moi, le 25 mars 1854, ils m'ont offert les particularités suivantes :

R..., jeune, blond, très-simple, présente un enfoncement considérable et une disposition infundibuliforme très-marquée de l'anus, qui est médiocrement dilaté dans l'état naturel, mais se laisse distendre avec une extrême facilité. Le pénis est régulièrement conformé. Le sieur R... est en ce moment atteint d'un écoulement hémorrhagique récent qui peut, ainsi qu'il le déclare, être attribué à un fait impur qui aurait eu lieu très-peu de jours avant son incarcération.

M..., 50 ans, ouvrier, chauve, l'air hypocrite, proteste contre toute supposition d'habitudes impures, dit être sujet à une irritation du pourtour de l'anus, qui l'oblige à prendre fréquemment des bains de siége et qui aurait pu amener du relâchement. Nous constatons en effet qu'il a l'anus à la fois très-enfoncé et très-élargi, sans trace d'irritation dartreuse ou d'affection quelconque de la peau des parties voisines. Le pénis de cet homme est extrêmement grêle; le gland petit et effilé, au point d'affecter exactement la forme du pénis des animaux de la race canine. Il n'est atteint d'aucune maladie vénérienne, soit ancienne, soit récente.

Observ. VIII et IX. — *Visite de deux pédérastes. Signes d'habitudes perverses. Particularités dues à la maladie de l'inculpé.*

1o J'ai été chargé, le 5 janvier 1858, de visiter l'inculpé G... et le nommé B... Ce jeune garçon, âgé de 12 ans, a le teint plombé, les traits flétris, premiers indices de mauvaises habitudes. Sa constitution est débile, peu développée. Les dimensions exagérées des organes sexuels, la verge très-volumineuse, le gland énorme, complétement découvert, comme on l'observe d'ordinaire chez les individus adonnés à la masturbation, achèvent de le caractériser. L'anus présente les traces les plus caractéristiques des violences sodomiques. Outre l'infundibulum profond que forme la région anale, le sphincter est complétement relâché, et l'orifice a subi une dilatation telle que les matières ne sont plus retenues, et que le simple écartement des bords de l'anus donne issue à des gaz abondants. Il n'y a pas de traces de violences ou de maladies particulières.

2o Le nommé G... est assez gravement malade, et son état s'oppose à ce que les constatations que nous avons mission de faire soient complètes. En effet, cet homme est atteint d'une hydropisie ascite qui, en modifiant la forme des parties, ne permet pas de reconnaître avec précision les déformations que la pédérastie aurait pu produire du côté des organes génitaux. Quant à l'anus, il ne présente rien de particulier à noter; aucun changement appréciable.

Le nommé B... présente les signes les plus tranchés d'habitudes passives anciennes de pédérastie.

L'inculpé G... ne porte pas de traces caractéristiques d'habitudes actives ou passives; mais outre que son état de maladie rend les constatations moins positives, les actes qui lui sont imputés ont pu avoir lieu sans laisser de traces appréciables.

Observ. X, XI et XII. — *Visite de trois pédérastes. — Habitudes actives et passives. — Particularités remarquables dans la conformation des organes sexuels.*

J'ai eu à visiter, le 2 avril 1850, trois individus dont l'examen m'a fourni des remarques très-intéressantes.

1° Le nommé L. H..., âgé de 14 ans, dont la taille et le développement physique sont fort au-dessus de son âge, avoue qu'il est depuis longtemps livré à des habitudes de masturbation, il dit avoir eu des relations avec une femme dès l'âge de treize ans, mais n'avoir jamais été atteint d'aucune affection vénérienne. Enfin, il nie avoir jamais subi ni pratiqué des actes de pédérastie, bien qu'il se soit prêté une fois à une tentative de la part du nommé B..., qu'il a presque immédiatement repoussé. Les organes sexuels, chez le jeune L..., sont très-developpés et attestent par leur dimension, par leur conformation, des habitudes précoces de débauche. Il ne porte d'ailleurs aucune trace d'affection syphilitique, soit ancienne, soit récente. Du côté de l'anus, on ne trouve, ni dans la forme de l'ouverture, ni dans l'aspect des parties qui l'entourent, ni dans l'état des muscles constricteurs, rien qui indique qu'un corps aussi volumineux que le membre viril ait jamais pu être introduit dans cette partie.

2° Le nommé J. B..., dont l'air hypocrite, le visage imberbe, les cheveux frisés et l'extrême saleté ont quelque chose de caractéristique, niait obstinément, avant notre visite, qu'il se fût jamais livré à des actes contre nature; il affectait même de ne pas comprendre en quoi ceux-ci pouvaient consister. Après l'avoir fait déshabiller, nous avons constaté que les organes génitaux, naturellement peu volumineux, présentent une sorte d'élongation du pénis, et notamment du gland, qui est aminci à son extrémité et découvert dans presque toute son étendue. En arrière, nous trouvons l'anus placé au fond d'une sorte d'entonnoir formé par le refoulement des parties qui l'entourent. L'ouverture est manifestement élargie, et il suffit d'écarter les fesses pour voir à quel point le sphincter est relâché. A l'entrée de l'anus et de chaque côté, la peau et la membrane muqueuse forment des replis assez analogues aux caroncules myrtiformes qui existent aux parties génitales externes chez la femme. Il n'existe, ni en avant ni en arrière, de traces de maladies vénériennes. Notre examen étant terminé, l'inculpé B... a avoué qu'il avait subi les approches d'un homme.

3° Le nommé L...., grand, vigoureux, se prétend étranger aux actes qu'on lui reproche, présente dans sa physionomie une coquetterie affectée. Cheveux noirs bouclés, chemise très-sale, dissimulée par une pièce blanche en avant de la poitrine. Organes sexuels présentant un développement extraordinaire. Membre viril long et très-volumineux, toujours comme enclin à l'érection. Gland complétement découvert, offre une conformation singulière. Un peu en avant de sa base, il est comme étranglé, une sorte de sillon circulaire s'étend dans toute sa circonférence, et à partir de cette ligne, l'extrémité du gland va s'amincissant, cette portion du pénis est en outre proportionnellement plus longue qu'elle ne l'est d'habitude. Cette conformation résulte d'une pression et d'une constriction qui a porté seulement sur l'extrémité du membre viril, et en a exagéré la conicité. Il n'existe d'ailleurs aux organes génitaux aucune trace de vérole. A l'anus, pas de disposition infundibuliforme très-marquée, mais l'orifice anal très-élargi, les replis très-nombreux et saillants formés alentour par la peau et la membrane muqueuse, tout à fait analogues à ceux qui ont été notés chez le nommé B..., ne laissent pas de doute.

1° Le jeune L. H..., quoique présentant les signes d'une débauche précoce, ne porte aucune trace qui révèle chez lui des habitudes contre nature.

2° Le nommé J. B... est manifestement adonné à la pédérastie et en porte des marques irrécusables :

1. Il présente tous les signes caractéristiques de la pédérastie.

2. La conformation naturelle des organes génitaux est telle, que ceux qui ont subi ses approches ont dû en souffrir, bien que l'extrémité seulement du membre viril ait pu être introduite, et devaient être dès longtemps familiarisés avec de semblables pratiques.

OBSERV. XIII. — *Habitudes passives invétérées de pédérastie. — Syphilis communiquée par les actes contre nature. — Phthisie pulmonaire.*

Le 15 avril 1848, j'ai eu à visiter le nommé L. B..., âgé de 19 ans, qui depuis l'âge de 15 ans 1/2 aurait été victime des actes de débauche du sieur T..., dentiste.

L. B... est d'une constitution chétive, d'un tempérament lymphatique exagéré. Le système musculaire est peu développé chez lui. Il porte au col, et notamment au côté droit, un engorgement ganglionnaire de nature scrofuleuse et les traces d'abcès froids assez récemment cicatrisés.

Il n'hésite pas à nous confirmer les détails contenus dans sa plainte. Il ajoute que c'est au mois de mars 1846 qu'il a éprouvé les premiers symptômes d'une affection syphilitique. Des boutons se sont développés au pourtour de l'anus et sur tout le corps. Un traitement mercuriel a été suivi pendant 2 mois 1/2 ; mais il est toujours resté une vive irritation à l'entrée du rectum. Des abcès se sont formés dans cette région et, en novembre 1847, il s'y est établi une fistule. Nous l'interrogeons pour savoir s'il n'aurait pas eu de rapports avec d'autres qu'avec la personne contre laquelle la plainte est dirigée. Nous lui demandons également s'il ne se serait pas exposé à contracter la maladie vénérienne avec une femme. Sur ces deux points, il nous répond très-formellement par la négative.

A l'examen direct des parties, nous constatons l'état suivant. Les organes génitaux sont irrégulièrement développés ; le pénis, assez volumineux, est aminci et comme effilé à l'extrémité ; les testicules sont au contraire extrêmement petits et en quelque sorte atrophiés. Il n'existe sur le prépuce, ni sur le gland, aucune trace d'ulcération, aucune cicatrice, aucune végétation ; les ganglions de l'aine ne sont nullement engorgés.

La disposition de l'anus est tout à fait caractéristique. Il est profondément situé au fond d'un infundibulum en entonnoir, formé en partie par la saillie des fesses. L'orifice anal est élargi en avant et en arrière, de manière à présenter une forme presque elliptique. On remarque à l'angle postérieur l'ouverture d'une fistule assez large et déjà ancienne, comme l'atteste le bourrelet fongueux qui l'entoure. Il existe en outre un très-grand nombre de végétations qui environnent l'anus et dont quelques-unes sont très-développées.

Il n'y a, sur les autres parties du corps, aucune éruption ni ulcération syphilitique. Mais il présente les signes les plus évidents d'une disposition scrofuleuse, de tubercules pulmonaires et d'anémie.

Le nommé X... est depuis longtemps livré à la pédérastie.

C'est à ces pratiques qu'il faut attribuer la disposition de l'orifice anal et l'ulcère fistuleux qui existe à l'anus.

Le nommé X... porte les traces d'une maladie syphilitique ancienne à laquelle on doit attribuer les nombreuses végétations qui entourent l'anus.

Il existe en outre, chez le sieur X..., une disposition scrofuleuse et une tendance à la tuberculisation pulmonaire qui peut avoir été aggravée non-seulement par les actes de débauche auxquels il s'est livré, mais encore par l'affection vénérienne qui lui a été communiquée.

Observ. XIV et XV. — *Habitudes actives et passives. — Syphilis communiquée dans des rapports contre nature.*

Le 26 octobre, deux saltimbanques, dont l'un était le maître, l'autre l'élève, se sont présentés à moi dans les conditions suivantes :

1° Le jeune A...., saltimbanque, âgé de 13 ans.

Il présente un anus en apparence bien conformé, un peu lâche, sans infundibulum marqué. Mais on voit au pourtour plusieurs ulcérations presque toutes cicatrisées. Une seule, plus profonde, à forme grisâtre, à base large, existe encore. Léger engorgement des ganglions de l'aine. Ulcération croûteuse à l'aile du nez à gauche. Engorgement léger des ganglions cervicaux. Traitement antisyphilitique très-bien suivi à l'hôpital, cause de l'atténuation des symptômes.

2° Le nommé B..., saltimbanque, maître du précédent, âgé de 34 ans, nie obstinément être malade. A la face interne du prépuce, du côté droit, large chancre induré, presque complétement cicatrisé, autour duquel on voit la trace de nombreuses excoriations dont la surface rouge et saillante prend la forme de plaques muqueuses. Dans l'aine droite, tumeur volumineuse très-dure et non douloureuse. Pas d'éruption. Pénis grêle, à extrémité très-amincie.

Le jeune A... est atteint d'une affection syphilitique parfaitement caractérisée par des chancres développés au pourtour de l'anus.

Cette maladie, qui peut remonter à trois semaines environ, n'a pu lui être communiquée que par un contact impur.

Le nommé B... est, de son côté, également affecté de syphilis, et la période à laquelle le mal est arrivé chez lui indique manifestement que les chancres qu'il porte à la verge étaient encore contagieux à une époque qui coïncide avec l'apparition du mal chez le jeune A..., à qui il peut en conséquence l'avoir communiqué par un acte de pédérastie.

Observ. XVI et XVII. — *Habitudes actives et passives de pédérastie. — Conformation spéciale. — Syphilis.*

Le 11 octobre 1856, j'ai été appelé à examiner deux malades, chez lesquels j'ai fait les constatations suivantes :

1° Le nommé A..., architecte, né à Naples, âgé de 30 à 35 ans, est grand et bien constitué. Sa physionomie et son extérieur n'offrent rien de particulier; mais il n'en est pas de même de la conformation des organes génitaux et de l'anus. De ce dernier côté, il existe une disposition infundibuliforme des plus prononcées, et une dilatation manifeste de l'orifice anal, très-visible lorsqu'on exerce une traction transversale sur ces parties; d'un autre côté, le pénis, qui est grêle, est, en quelque sorte, tordu sur lui-même, et son extrémité amincie et effilée, jointe à l'étranglement de la base du gland, représente la conformation qui est liée le plus ordinairement aux habitudes de pédérastie. Il n'existe d'ailleurs pas de traces de syphilis, soit ancienne, soit récente.

2° Le nommé M..., âgé de 16 à 17 ans, tourneur en cuivre, dont la jeunesse, la physionomie, les formes très-accusées ont quelque chose de caractéristique, présente, du côté de l'anus, des désordres non moins significatifs. L'orifice est très-élargi et placé au fond d'une dépression en forme d'entonnoir; de plus, on voit, sur un seul côté de cet orifice, un groupe circonscrit de plaques muqueuses qui paraissent tout à fait s'être développées sur des chancres transformés, et qui sont bornées à cette partie. On ne voit pas de traces d'ulcération sur le pénis qui est très-volumineux, renflé et comme globuleux, tel qu'on le rencontre chez les enfants adonnés à l'onanisme.

Du double examen qui précède, nous concluons que :

1° Le nommé A... porte sur sa personne des traces non équivoques d'habitudes actives et passives de pédérastie.

2° Le nommé M... présente les signes caractéristiques d'habitudes passives de pédérastie.

3° Il est de plus atteint d'une syphilis constitutionnelle, caractérisée par une éruption dont le siége est une preuve de plus du vice contre nature auquel est adonné le nommé M...

Observ. XVIII. — *Habitudes actives et passives. — Syphilis communiquée par des actes contre nature.*

J'ai eu à examiner, le 2 avril 1857, un domestique âgé de 20 ans qui avait porté plainte contre un individu par qui il s'était dit volé, et qui se défendait en prétendant qu'il n'avait fait que se payer d'infâmes complaisances. Ce jeune garçon était atteint d'un engorgement considérable des ganglions de l'aine gauche, que le médecin de la maison où il servait, après avoir constaté qu'il n'existait rien aux organes génitaux, avait cru pouvoir attribuer à une très-légère écorchure de la jambe. L'examen auquel je le soumis me fit reconnaître, outre un infundibulum énorme, un chancre induré situé au côté gauche du pourtour de l'anus.

En même temps, je constatai chez le prétendu voleur, jeune marin appartenant à une excellente famille, qui avait été contraint de l'embarquer, un pénis à extrémité allongée et amincie, affecté d'un chancre énorme occupant également le côté gauche de la racine du gland, ainsi qu'un élargissement très-marqué de l'anus dont la surface offrait de nombreuses érosions.

Observ. XIX. — *Assassinat par strangulation commis sur un pédéraste.*

Le sieur Bivel, âgé d'une soixantaine d'années, usurier, a été trouvé assassiné le 14 avril 1857, dans un hôtel du passage du Havre. Le corps était vêtu d'une chemise, étendu sur le lit, tourné sur l'un des côtés, les mains liées, le cou serré par une corde.

Chargé de procéder à l'autopsie, j'ai trouvé le cadavre d'un homme grand et fort, très-vigoureusement constitué. Le côté gauche de la face et du crâne sont tuméfiés et présentent un énorme épanchement de sang coagulé infiltré dans le tissu cellulaire et dans les muscles sous-jacents qui sont complétement désorganisés. Sur le haut du front une petite plaie contuse, longue de 2 centimètres, qui ne pénètre pas toute l'épaisseur du cuir chevelu. Os du crâne très-résistants, intacts. Pas d'épanchement. Cerveau congestionné.

Autour du cou on voit un sillon étroit dirigé transversalement, inégalement profond, avec ecchymose en avant et peau parcheminée sur les côtés. Poumons congestionnés. Veinules rompues.

L'estomac renferme une assez grande quantité de liquide, et quelques débris de matières alimentaires incomplétement digérées.

Un double sillon existe autour des poignets.

Les bourses sont tuméfiées. Un épanchement de sang existe sous le scrotum gauche. Le pénis est peu volumineux. L'anus offre un évasement considérable, et de nombreux replis qui entourent l'orifice du sphincter, dont le rétrécissement ne peut être exactement apprécié sur le cadavre.

1° Le cadavre du sieur B... présente des traces non douteuses de violences;

2° Un coup extrêmement fort a été porté sur le côté gauche de la tête par un instrument contondant à large surface;

3° Ce coup a dû produire une perte de connaissance;

4° La mort est le résultat de la strangulation opérée à l'aide d'un lien autour du cou;

5° Une forte pression a été exercée sur les bourses;

6° L'examen des organes génitaux et de l'anus donne lieu de penser que le sieur B... était livré à des habitudes de pédérastie;

7° La mort a eu lieu peu de temps après un repas peu abondant.

OBSERV. XX ET XXI. — *Assassinat par strangulation commis sur un pédéraste.*

Le sieur Letellier, âgé de 44 ans, ouvrier dans une fabrique d'eaux minérales, a été assassiné, le 12 novembre 1857, par Pascal, soldat aux lanciers de la garde, qu'il avait ramené coucher avec lui, à la suite d'une soirée passée avec quatre autres pédérastes avoués : un domestique, un marchand de vins, un ébéniste et un second militaire, qui, de leur côté, s'étaient également retirés deux par deux. Les perquisitions faites au domicile de ces derniers individus amenèrent la saisie d'une correspondance qui ne pouvait laisser de doutes sur leurs mœurs, de tableaux obscènes, de leurs portraits réciproques, de fleurs artificielles, d'ouvrages à l'aiguille commencés, de tapisseries, etc. Letellier avait été frappé lorsqu'il était déjà au lit avec son assassin. J'ai été appelé à examiner le cadavre de la victime et la personne du meurtrier.

Examen du cadavre. — Le cadavre du nommé Letellier est celui d'un homme vigoureux. Lors de notre première visite, le 13 à deux heures de relevée, la rigidité était déjà prononcée. Les traces de violences qui existent sur les diverses parties du corps sont doublement caractéristiques par leur nature et par leur siége.

Aux deux genoux, au-dessous de la rotule, et aux coudes, à la face postérieure de l'avant-bras, dans des points exactement correspondants, la peau présente une surface assez large et régulière fortement parcheminée, sans plaie ni excoriation, et avec une très-légère infiltration de sang dans le tissu cellulaire sous-cutané. Deux plaques, également parcheminées, existent au niveau de l'aine droite. On remarque encore sur la cuisse gauche une très-longue écorchure, et au-devant de la jambe droite deux autres excoriations plus petites. Les mains et les bras ne présentent aucune blessure. Sur le côté droit du front et sur le dos du nez, on remarque deux plaies contuses peu étendues et peu profondes résultant de la chute du corps.

Le cou est le siége des plus graves désordres. De chaque côté du larynx on voit de profondes excoriations symétriquement placées, et reproduisant exactement la forme d'ongles enfoncés dans les chairs, et qui ont en deux points enlevé des portions de peau. Tous les muscles de cette région sont infiltrés d'une énorme quantité de sang coagulé. Le larynx lui-même est enveloppé d'une couche de sang épanché. A l'intérieur du larynx et de la trachée, on trouve également du sang coagulé à la surface de la membrane muqueuse.

Les parois de la poitrine sont marbrées d'une foule de petites taches noires formées par un sang coagulé dans l'épaisseur de la peau et des muscles pectoraux. Des taches ponctuées semblables existent aussi à la surface.

Les poumons sont fortement congestionnés sans ecchymoses sous-pleurales. Le cœur est distendu par du sang à demi coagulé.

L'estomac renferme des matières alimentaires incomplétement digérées, et parmi lesquelles on reconnaît encore de la viande.

L'orifice de l'urèthre laisse écouler une assez grande quantité de liqueur séminale. La conformation du pénis n'a rien de particulier; mais l'anus offre une déformation caractéristique consistant en un infundibulum très-évasé du sphincter. A l'intérieur, la muqueuse du rectum est le siége d'érosions multiples. Nous avons recueilli à la surface quelques mucosités qui, examinées au microscope, ne nous ont pas présenté de spermatozoïdes.

De l'examen qui précède nous concluons que :

1° Le nommé Letellier a été étranglé à l'aide d'une forte pression exercée avec la main autour du cou;

2° L'étendue et la profondeur des désordres qui existent au cou attestent la force du meurtrier et la violence avec laquelle la victime fut surprise et eut le cou serré;

3° L'action de la main a suffi pour opérer une strangulation complète et déterminer la mort, et le pantalon qui a été trouvé autour du cou n'a dû agir que très-secondairement;

4° L'état de la peau aux genoux et aux coudes, ainsi que les excoriations qui existent sur les membres inférieurs, résultent non de coups directement portés sur ces parties, mais d'un frottement rude tel qu'aurait pu le produire la traction du corps sur le sol;

5° Les contusions de la face ont été produites par la chute du corps;

6° Le nommé Letellier portait des traces caractéristiques d'habitudes passives et invétérées de pédérastie;

7° La mort a eu lieu moins de trois heures après le dernier repas.

Examen du nommé Pascal. —Cet homme, lancier de la garde, âgé de 25 ans, est d'une constitution athlétique; il n'a que quelques blessures insignifiantes. Rien au visage. Des ecchymoses aux deux avant-bras, aux bras et dans les reins. Rien aux mains qu'une très-petite écorchure.

En dehors du genou droit, au niveau de la tête du péroné, excoriation profonde, large comme une pièce de 2 francs, recouverte d'une croûte à peine formée, et entourée d'un cercle rouge peu étendu sans apparence d'ecchymose.

Rien de caractéristique au pénis; mais infundibulum énorme et relâchement du sphincter, malgré les efforts visibles que fait l'inculpé pour contracter ces parties.

En résumé, le nommé Pascal ne présente sur les diverses parties du corps aucune blessure grave.

On remarque seulement sur les bras trois petites ecchymoses remontant à l'époque du crime qui lui est imputé, et pouvant avoir été faites par la pression peu énergique de la main qui aurait saisi les bras du meurtrier.

L'excoriation profonde qui existe à la jambe droite date du même moment que les ecchymoses. Elle résulte d'un frottement rude de la peau contre une surface dure, et ne peut, dans aucun cas, être rapportée à une chute de cheval qui remonterait à six jours, ainsi que le prétend l'inculpé.

L'examen du nommé Pascal démontre que la victime n'a opposé qu'une très-faible résistance, ce qu'expliquent d'ailleurs la force herculéenne de l'un et la constitution peu vigoureuse de l'autre.

Le nommé Pascal présente tous les signes caractéristiques des habitudes de pédérastie.

OBSERV. XXII. — *Attentat à la pudeur. — Violences sodomiques d'un mari sur sa femme.*

Le 28 juin 1858, j'ai visité la dame O.... âgée de 16 ans 1/2, mariée au mois de mars dernier à un Russe, qui dès les premiers jours de son mariage se livra sur elle à toutes les violences les plus obscènes.

L'examen complet auquel je la soumis me permit de constater que, s'il n'existait pas de déformation très-apparente de l'anus, pour peu que l'on écartât les bords de cet orifice, on arrivait, non sans déterminer de vives douleurs, à découvrir plusieurs déchirures incomplétement cicatrisées, et qui occupent toute la hauteur du sphincter. La défécation est extrêmement difficile et pénible. Des besoins sans résultat se font très-fréquemment sentir. Une sensation de pesanteur douloureuse retentit en même temps dans l'anus. Les parties sexuelles n'offrent rien à noter, elles sont dans l'état qu'amènent naturellement les relations conjugales.

La dame O.... présente du côté de l'anus les traces manifestes d'approches contre nature, répétées pendant un certain temps, et qui malgré l'époque déjà éloignée à laquelle elles remontent, ne sont pas encore complétement effacées.

Ces actes honteux ont été certainement accompagnés de violences. La disposition naturelle des parties et les désordres dont elles sont le siége ne peuvent laisser de doute à cet égard.

La santé générale s'est ressentie de ces violences et est restée jusqu'à présent manifestement altérée.

Observ. XXIII. *Attentat à la pudeur. — Sodomie conjugale.*

La jeune R..... mariée depuis six ans, prise d'abord par son mari d'une manière régulière, puis, persuadée par lui qu'il pouvait agir d'autre façon a subi ses approches contre nature pendant plusieurs années. Elle a très-bien senti qu'il ne pénétrait pas toujours, mais que cela lui est arrivé souvent. Instruite plus tard, elle s'y est refusée et en a subi les violences. Nous constatons outre un infundibulum profond, une remarquable disposition de crêtes en haut et en bas de l'orifice anal qui est allongé, ellipsoïde et très-manifestement élargi.

EXPLICATION DES PLANCHES

PLANCHE I.

Conformation de l'hymen à l'état normal et dans certains cas d'attentat à la pudeur.

Fig. 1. Hymen à disposition labiale presque générale chez les petites filles.
Fig. 2. Hymen formant un diaphragme à ouverture supérieure.
Fig. 3. Hymen formant un diaphragme à ouverture centrale.
Fig. 4. Hymen semi-lunaire.
Fig. 5. Hymen annulaire à bords lâches et frangés.
Fig. 6. Déformation infundibuliforme de la vulve avec refoulement et déchirure incomplète de l'hymen, caractéristiques d'attentats à la pudeur répétés chez les petites filles.

PLANCHE II.

Caractères de la défloration.

Fig. 1. Déchirure récente de l'hymen et de la fourchette à deux lambeaux.
Fig. 2. Défloration récente. Hymen divisé en trois lambeaux.
Fig. 3. Hymen déchiré formant quatre lambeaux renversé en dehors.
Fig. 4. Défloration ancienne avec rétraction des lambeaux et formation des caroncules hyménales ou myrtiformes.
Fig. 5. Déchirure de l'hymen et de la fourchette par introduction brusque des doigts au-dessous du bord libre.

PLANCHE III.

Des taches soumises à l'examen de l'expert dans les cas de viol et d'attentat à la pudeur.

Fig. 1. *Caractères microscopiques des taches formées par du sang menstruel.*

a, a, a. Globules de sang plus pâles que dans le sang ordinaire.
b. b. Corpuscules granuleux de mucus.
c, c, c. Lamelles imbriquées d'épithélium pavimenteux provenant de la muqueuse vaginale.

Fig. 2. *Caractères microscopiques des taches formées par la matière des écoulements vaginaux.*

a. Globules de muco-pus.
b. Lamelles d'épithélium pavimenteux.
c. Noyaux des cellules épithéliales.

Fig. 3. *Caractères microscopiques des taches de sperme*

a. Spermatozoïdes intacts.
b. Débris de spermatozoïdes brisés.
c. Globules de mucus sphériques finement granuleux.
d. Cellules épithéliales de l'urèthre.
e. Granulations graisseuses.
f. Cristaux prismatiques à base rhomboïdale de phosphate de magnésie.
g. Gouttelettes transparentes de la liqueur spermatique.

TABLE DES MATIÈRES.

Avertissement de la troisième édition v

Préliminaires 1

PREMIÈRE PARTIE. — Outrages publics a la pudeur 3

DEUXIÈME PARTIE. — Viols et attentats a la pudeur 6

Statistique du viol et de l'attentat à la pudeur 7

Considérations sur la conformation des parties sexuelles chez la femme 9

De la manière de procéder aux visites dans les cas de viol et d'attentats à la pudeur 17

Des signes des attentats à la pudeur 18

Des signes du viol 32

De quelques signes communs au viol et aux attentats à la pudeur. 39

De l'inculpé dans les cas de viol ou d'attentat à la pudeur 42

Attentats commis par des femmes sur des petits garçons 45

Des questions médico-légales qui peuvent se présenter dans les cas de viols ou d'attentats à la pudeur 46

1° Existe-t-il des traces d'un attentat? 48

2° Les désordres peuvent-ils être attribués à des attouchements personnels, à de mauvaises habitudes? 49

3° L'écoulement constaté a-t-il été communiqué? 50

4° Y a-t-il défloration? 51

5° A quelle époque remonte la défloration? 53

6° Y a-t-il des signes de débauche habituelle? 54

7° La défloration est-elle le résultat de l'intromission du membre viril ou d'attouchements forcés, d'accidents et de maladies? 56

8° Existe-t-il des traces de violences autres que la défloration? 58

9° La mort est-elle le fait des violences ou du viol? 59

10° Le meurtre a-t-il été précédé de viol? 59

11° Une femme peut-elle être déflorée ou violée sans le savoir? 60

12° Une femme peut-elle concevoir par le viol? 66

13° Un seul homme peut-il violer une femme qui résiste? 66

14° Quelle est la nature de la maladie dont est affectée la victime? 67

15° A quelle époque cette maladie peut-elle remonter?........ 68
16° Cette maladie peut-elle avoir été communiquée par le seul contact? 69
17° Est-elle de même nature chez la victime et chez l'inculpé? 69
18° Les organes de l'inculpé se rapportent-ils à ceux de la victime?........ 70
19° Est-ce une opinion accréditée que les maladies vénériennes peuvent guérir par le fait d'un rapprochement sexuel avec une petite fille?........ 71
20° Un homme peut-il pendant son sommeil et sans en avoir conscience s'approcher d'une femme avec laquelle il est couché?........ 72
21° L'inculpé présente-t-il dans sa conformation physique quelques signes particuliers qui puissent le faire reconnaître?.... 73
22° L'inculpé présente-t-il dans sa conformation physique quelque disposition particulière qui s'oppose à des rapports sexuels?........ 74
23° Quelle est la nature des taches trouvées sur les vêtements de la victime et de l'inculpé?........ 75
24° L'attentat ou le viol sont-ils simulés?........ 80
Des systèmes de défense le plus souvent usités dans les affaires de viol et d'attentat à la pudeur........ 82
OBSERVATIONS D'ATTENTATS A LA PUDEUR ET DE VIOL.. 84
TROISIÈME PARTIE. — De la pédérastie et de la sodomie... 119
Des conditions générales dans lesquelles s'exercent la pédérastie et la sodomie........ 123
Des signes de la pédérastie........ 135
Des signes généraux de la pédérastie........ 137
Des signes d'habitudes passives de pédérastie et de la sodomie.... 141
Des signes d'habitudes actives de pédérastie........ 152
Questions médico-légales relatives à la pédérastie........ 156
De la manière de procéder à l'examen des pédérastes........ 157
Existe-t-il des traces de violences contre nature?........ 160
Existe-t-il des traces d'habitudes de pédérastie?........ 161
La syphilis a-t-elle pu être communiquée par le fait de la sodomie? 166
L'assassinat a-t-il été précédé ou favorisé par des actes contre nature?........ 167
Appréciation des moyens de défense allégués par les pédérastes.. 169
OBSERVATIONS DE PÉDÉRASTIE ET DE SODOMIE........ 171
Explication des planches........ 185

FIN DE LA TABLE.

Corbeil, typographie et stéréotypie de Crété.

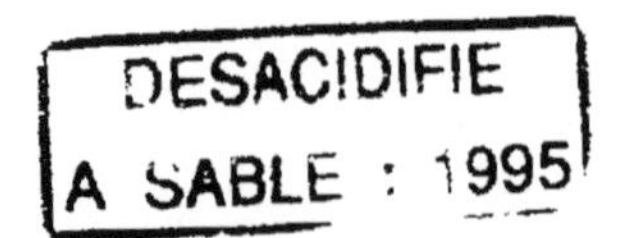

Tardieu. Pl. I.

Fig. 1.

Fig. 4.

Fig. 2.

Fig. 5

Fig. 3

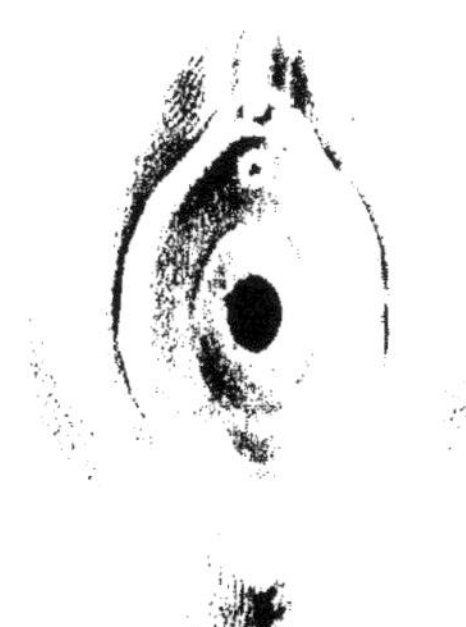

Fig. 6

P. Lackerbauer del. Oudet sc.

Publié par J. B. Baillière et Fils.

Imp. Tenpfhat R. des Carmes 6.

Fig. 1.

Fig. 2.

Fig. 3.

Fig. 5.

Fig. 4.

P. Lackerbauer, del. *Oudet sc.*

Publié par J.B. Baillière et Fils.

Imprimé en France
FROC031916230919
22214FR00017B/269/P

9 782329 318653